#홈스쿨링
#혼자공부하기

우등생
사회

Chunjae
Makes
Chunjae

▼

우등생 사회 6-2

기획총괄	박상남
편집개발	윤순란, 박진영, 김운용
디자인총괄	김희정
표지디자인	윤순미, 김효민
내지디자인	박희춘
본문 사진 제공	게티이미지, 뉴스뱅크, 서울대학교 규장각 한국학 연구원, 셔터스톡, 연합뉴스
제작	황성진, 조규영

발행일	2023년 7월 1일 초판 2023년 7월 1일 1쇄
발행인	(주)천재교육
주소	서울시 금천구 가산로9길 54
신고번호	제2001-000018호
고객센터	1577-0902

스마트폰으로 QR코드를 스캔해 주세요

우등생 온라인 학습 활용법

01 학년, 학기 선택

02 과목 선택

마이페이지

사회

스케줄표

온라인 학습북
개념 강의
서술형 논술형 강의
단원평가

학습 자료실
정답
핵심 정리 + 묻고 답하기
개념 웹툰
교과 연계 사회 추천 도서 목록

검정 교과서 자료

· 학년별, 과목별로 제공되는 서비스 내용에는 차이가 있습니다.

---

home.chunjae.co.kr

스케줄표

꼼꼼

꼼꼼
우등생 사회를 한 학기 동안 차근차근 공부하기 위한 스케줄표

1회~10회

1회

사회
1.① 우리가 생각…
교과서 진도북 8~15쪽

2회

사회
1.① 우리가 생각…
교과서 진도북 16~19쪽

마이페이지에서 첫 화면에 보일
스케줄표의 종류를 선택할 수 있어요.

통합 스케줄표
우등생 국어, 수학, 사회, 과학 과목이 함께 있는 12주 스케줄표

꼼꼼 스케줄표
과목별 진도를 회차에 따라 나눈 스케줄표

스피드 스케줄표
온라인 학습북 전용 스케줄표

과목 클릭	온라인 학습북 클릭	개념강의 / 서술형 논술형 강의 / 단원평가

❶ 개념 강의

*온라인 학습북 단원별 주요 개념 강의

❷ 서술형 논술형 강의

*온라인 학습북 서술형 논술형 강의

❸ 단원평가

① 내가 푼 답안을 입력하면

② 채점과 분석이 한번에

③ 틀린 문제는 동영상으로 꼼꼼히 확인하기!

홈스쿨링 꼼꼼 스케줄표(24회)
우등생 사회 6-2

꼼꼼 스케줄표는 교과서 진도북과 온라인 학습북을
24회로 나누어 꼼꼼하게 공부하는 학습 진도표입니다.

우등생 홈스쿨링 홈페이지에는
다양한 스케줄표가 있어요!

● 교과서 진도북　　● 온라인 학습북

1. 세계의 여러 나라들

1회	교과서 진도북 8~15쪽	**2**회	교과서 진도북 16~19쪽	**3**회	온라인 학습북 4~9쪽
월　　일		월　　일		월　　일	

1. 세계의 여러 나라들

4회	교과서 진도북 20~31쪽	**5**회	교과서 진도북 32~35쪽	**6**회	온라인 학습북 10~15쪽
월　　일		월　　일		월　　일	

1. 세계의 여러 나라들

7회	교과서 진도북 36~43쪽	**8**회	교과서 진도북 44~47쪽	**9**회	온라인 학습북 16~21쪽
월　　일		월　　일		월　　일	

1. 세계의 여러 나라들

10회	교과서 진도북 48~53쪽	**11**회	온라인 학습북 22~25쪽	**12**회	온라인 학습북 26~29쪽
월　　일		월　　일		월　　일	

어떤 교과서를 쓰더라도 ALWAYS 우등생

꼼꼼하게 공부하는 24회 **꼼꼼 스케줄표**　# 전과목 시간표인 **통합 스케줄표**
빠르게 공부하는 10회 **스피드 스케줄표**　# 자유롭게 **내가 만드는** 스케줄표

홈스쿨링 24회
꼼꼼 스케줄표

● 교과서 진도북　　● 온라인 학습북

2. 통일 한국의 미래와 지구촌의 평화

13회	교과서 진도북 56~63쪽	**14**회	교과서 진도북 64~67쪽	**15**회	온라인 학습북 30~35쪽
	월　　일		월　　일		월　　일

2. 통일 한국의 미래와 지구촌의 평화

16회	교과서 진도북 68~75쪽	**17**회	교과서 진도북 76~79쪽	**18**회	온라인 학습북 36~41쪽
	월　　일		월　　일		월　　일

2. 통일 한국의 미래와 지구촌의 평화

19회	교과서 진도북 80~87쪽	**20**회	교과서 진도북 88~91쪽	**21**회	온라인 학습북 42~47쪽
	월　　일		월　　일		월　　일

2. 통일 한국의 미래와 지구촌의 평화

22회	교과서 진도북 92~95쪽	**23**회	온라인 학습북 48~51쪽	**24**회	온라인 학습북 52~55쪽
	월　　일		월　　일		월　　일

절취선

우등생 사회 사용법

QR로 학습 스케줄을 편하게 관리!

공부하고 나서 날개에 있는 QR 코드를 스캔하면
온라인 스케줄표에 학습 완료 자동 체크!

학습
완료!

3회

사회
1. ① 지도로 본...

온라인 학습북 4~9쪽

개념강의　　　　　ⓥ
서술형 평가 강의　　ⓥ

※ 스케줄표에 따라 해당 페이지 날개에
[진도 완료 체크] QR 코드가 있어요!

1
단원

진도 완료
체크

동영상 강의
개념 / 서술형 · 논술형 평가 / 단원평가

온라인 채점과 성적 피드백
정답을 입력하면 채점과 성적 분석이 자동으로

온라인 학습 스케줄 관리
나에게 맞는 내 스케줄표로 꼼꼼히 체크하기

우등생 온라인 학습

구성과 특징

1 쉽고 재미있게 개념을 익히고 다지기

내 교과서 살펴보기 / 금성출판사, 동아출판

'양'과 '해'의 다른 점
바다의 이름이 '양'으로 끝나는 바다는 매우 큰 바다를 말하며, '해'로 끝나는 바다는 육지와 섬이 가로막아 큰 바다와 떨어진 작은 바다를 말합니다.

검정 교과서 완벽 반영

2 Step ❶, ❷, ❸단계로 단원 실력 쌓기

단원평가

서술형/수행평가

3 대단원 평가로 단원 마무리하기

① 온라인 개념 강의

② 실력 평가

③ 온라인 서술형·논술형 강의

④ 단원평가 온라인 피드백

✓ 채점과 성적 분석이 한번에!

틀린 문제

85점
100점

① 문제 풀고 QR 코드 스캔

② 온라인으로 정답 입력

③ 제출하기 클릭

차례

1 세계의 여러 나라들

◀ 일본에 발달한 온천 관광

🔽 냉대 기후 지역의 침엽수림

2 > 통일 한국의 미래와 지구촌의 평화

◀ 우리나라의 영토인 독도

 등장인물 소개

 호냥

대한민국의 요괴 소녀로, 정체는 불여우.
엉뚱발랄한 매력으로
상대방을 당황하게 만든다.

피빠

동유럽에 사는 흡혈귀로,
인간 세상에 관심이 많다.
늘 다이어트 중이라 얼굴이 창백하다.

닉스

피빠의 반려동물로, 정체는 불사조.
불 조절 능력이 미숙해
피빠를 곤란에 빠뜨리곤 한다.

연관 학습 안내

초등 5학년	초등 6학년	중학교
기후가 생활에 미치는 영향 강수량에 따라 터돋움집, 우데기 등 다양한 생활 모습이 나타나요.	**기후에 따른 생활 모습** 각 기후의 특징에 따라 사람들의 생산 활동이 다르게 나타나요.	**기후와 주민 생활** 사람들은 기후 환경에 적응하거나 이를 극복하면서 살아가요.

만화로 단원 미리보기

세계의 여러 나라들 1

1. ❶ 지구, 대륙 그리고 국가들⑴

개념 체크

용어 **개념 ①** 지구본과 세계지도 → 위도와 경도로 여러 나라의 위치를 숫자로 정확하게 나타낼 수 있습니다.

1. 지구본

의미	실제 지구의 모습을 작게 줄인 모형
특징	• 세계 여러 지역 간 거리와 면적을 비교적 정확하게 파악할 수 있음. • 둥근 모양이라 한눈에 보기 어렵고, 가지고 다니기 불편함.

본초 자오선(경도 0°)을 기준으로 동쪽의 경도를 동경, 서쪽의 경도를 서경 이라고 함.

적도(위도 0°)를 기준으로 북쪽의 위도를 북위, 남쪽의 위도를 남위라고 함.

2. 세계지도

의미	둥근 지구를 평면으로 나타낸 것
특징	• 세계 여러 나라의 위치와 영역을 한눈에 살펴볼 수 있음. • 땅과 바다의 모양이나 크기가 실제와 다르게 표현됨.

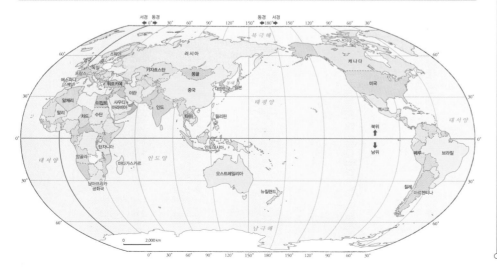

☑ **지구본**

지구본에는 세계 여러 나라의 위치와 영토 모양이 실제와 ❶(비슷하게 / 다르게) 나타납니다.

이건 실제 지구의 모습을 작게 줄인 지구본이야.

지구를 어떻게 가져온 거야?

☑ **세계지도**

세계지도는 둥근 지구를 ❷ ㅍ ㅁ 으로 나타내어 세계를 한눈에 볼 수 있습니다.

세계지도는 전 세계를 한눈에 볼 수 있구나.

대신 땅과 바다의 모양이 실제와 다르게 나타나 있어.

정답 ❶ 비슷하게 ❷ 평면

용어 사전

• **위도**(緯 가로 위 度 도 도)
적도를 기준으로 남북으로 얼마나 떨어졌는지 나타내는 정도

• **경도**(經 지날 경 度 도 도)
본초 자오선을 기준으로 동서로 얼마나 떨어졌는지 나타내는 정도

개념② 디지털 영상 지도

1. 디지털 영상 지도의 의미와 특징

의미	항공 사진과 위성 영상 정보를 이용해 만든 지도→ 컴퓨터나 스마트폰 등 다양한 기기에서 이용할 수 있습니다.
특징	• 확대와 축소가 자유로움. • 최신 정보가 빠르게 반영되어 정확도가 높음. • 어떤 나라나 장소에 관한 사진, 글 등의 정보를 제공함.

2. 디지털 영상 지도 이용법

출발지와 도착지를 입력하고 이용하려는 교통수단을 선택하여 이동 경로를 검색할 수 있음.

마우스 오른쪽 단추를 누르면 현재 지점의 위도와 경도를 알 수 있고, 거리 재기 기능을 이용할 수 있음.

현재 나의 위치를 지도에서 확인할 수 있음.

지도의 종류를 선택할 수 있음.→ 일반 지도, 위성 지도, 지형도 등이 있습니다.

어떤 장소의 실제 모습을 여러 각도의 사진으로 확인할 수 있음.

지도를 확대하거나 축소할 수 있음.

> 내 교과서 살펴보기 / 천재교육
>
> #### 디지털 지구본
> • 지구본을 컴퓨터에서 활용하도록 위성 사진이나 항공 사진 등을 이용해 만든 디지털 공간 자료입니다.
> • 시기별 도시 성장 과정 등 다양한 주제로 나타낸 공간 자료를 볼 수 있으며, 장소의 모습을 입체 영상(3D)으로 실감 나게 볼 수 있습니다.
>
>

개념③ 다양한 공간 자료 활용하기
→ ⑨ 지구본, 세계지도, 디지털 영상 지도
1. 공간 자료를 활용해 알 수 있는 것

① *영토의 특징과 환경
② 세계 여러 나라의 정확한 위치
③ 나라마다 시간과 날짜, 계절이 다른 까닭 → 위도와 경도를 이용해 알 수 있습니다.

2. 공간 자료를 활용해 세계 여러 나라 조사하기

① 조사 과정

> ❶ 주제 정하기: 모둠별로 세계 여러 나라의 어떤 내용을 조사하여 소개할지 의논하여 주제를 정함.
> ❷ 조사하기: 지구본, 세계지도, 디지털 영상 지도 등을 활용하여 다양한 정보를 수집함.
> ❸ 소개 자료 만들기: 조사한 내용을 모아 소개 자료를 만듦.
> ❹ 발표하기: 모둠별로 만든 소개 자료를 발표함.

② 소개 자료 만들기 ⑨

남아메리카에서 영토가 가장 넓은 브라질

* **위치**: 북위 5°~ 남위 33°, 서경 34°~73°
* **면적**: 851만 km²(우리나라의 약 38배)
* **수도**: 브라질리아
* **주변에 있는 나라**: 베네수엘라 볼리바르, 콜롬비아, 페루, 볼리비아, 파라과이 등

조사를 하면서 새롭게 알게 된 점과 느낀 점

디지털 영상 지도를 활용하니 남아메리카에서 영토가 가장 넓은 나라가 브라질이라는 것을 알 수 있었다.

지구본을 이용하니 브라질이 우리나라 반대편에 있다는 것을 쉽게 알 수 있었다.

세계지도를 보고 브라질 주변에 대서양이 있다는 것을 알게 되었고, 주변의 나라도 쉽게 찾을 수 있었다.

☑ **공간 자료의 활용**

지구본, 세계지도, 디지털 영상 지도 등을 통해 여러 나라의 ❺ [ㅇ] [ㅊ], 영토의 환경 등을 알 수 있습니다.

공간 자료를 활용해 세계 여러 나라의 정확한 위치를 알 수 있어요.
경도를 알면 세계 여러 나라의 시각도 대략 알 수 있대!

☑ **공간 자료를 활용해 나라 소개하기**

공간 자료를 활용해 세계 여러 나라를 소개할 때는 가장 먼저 ❻ [ㅈ] [ㅈ]를 정합니다.

공간 자료를 이용하기 전에 먼저 주제를 정해야 해.
대륙별로 면적이 가장 넓은 나라를 조사하고 싶어.
나도!

정답 ❺ 위치 ❻ 주제

용어
사전

* **영토**(領 다스릴 영 土 땅 토)
나라의 주권이 미치는 땅의 범위

개념 다지기

1 11종 공통
다음과 같은 특징을 가지고 있는 공간 자료를 보기에서 찾아 기호를 쓰시오.

> 세계 여러 지역 간의 거리와 면적을 비교적 정확하게 파악할 수 있지만, 한눈에 보기 어렵다는 단점이 있습니다.

보기
ㄱ 지구본　　　　　ㄴ 세계지도

(　　　　　)

2 11종 공통
다음 세계지도에서 □ 안에 들어갈 세로선의 이름은 어느 것입니까? (　　　)

① 적도　　　　　　② 위선
③ 동경　　　　　　④ 날짜 변경선
⑤ 본초 자오선

3 11종 공통
지구본과 세계지도의 공통점으로 알맞은 것은 어느 것입니까? (　　　)
① 가지고 다니기 편하다.
② 생김새가 지구처럼 둥글다.
③ 위도와 경도가 나타나 있다.
④ 둥근 지구를 평면에 나타냈다.
⑤ 땅과 바다의 모양이 실제와 같게 나타나 있다.

4 11종 공통
디지털 영상 지도에 대한 설명으로 알맞지 <u>않은</u> 것은 어느 것입니까? (　　　)
① 확대와 축소가 자유롭다.
② 다양한 정보를 편리하게 찾을 수 있다.
③ 컴퓨터나 스마트폰에서 이용할 수 있다.
④ 최신 정보가 반영되지 않아 정확도가 떨어진다.
⑤ 항공 사진과 위성 영상 정보를 이용해 만들었다.

5 11종 공통
공간 자료의 활용에 대해 알맞게 말한 어린이를 쓰시오.

세계 여러 나라의 자연환경을 알 수 있어.
🔺 세현

우리나라의 정확한 위치는 파악하기 어려워.
🔺 희주

(　　　　　　)

6 11종 공통
다음 디지털 영상 지도에서 지도의 종류를 선택할 수 있는 단추를 찾아 기호를 쓰시오.

(　　　　　　)

개념 알기

개념 ① 대양과 대륙

1. 지구의 구성

① 바다(대양)와 육지(대륙)로 이루어져 있습니다.

② 바다의 면적이 약 70%, 육지의 면적은 약 30%입니다.

2. 대양과 대륙의 의미

대양	넓은 면적을 차지하는 큰 바다 예 태평양, 대서양, 인도양, 북극해, 남극해
대륙	바다로 둘러싸인 큰 땅덩어리 예 아시아, 아프리카, 유럽, 오세아니아, 북아메리카, 남아메리카

→ 그린란드보다 면적이 넓으면 대륙으로 분류하며,
남극을 포함해 7대륙으로 구분하기도 합니다.

개념 ② 세계의 대양

태평양	대서양	인도양
가장 큰 바다로, 아시아, 오세아니아, 아메리카 대륙의 사이에 있음.	두 번째로 큰 바다로, 아메리카, 유럽, 아프리카 대륙 사이에 위치함.	세 번째로 큰 바다로, 아프리카, 아시아, 오세아니아 대륙의 사이에 있음.

남극해	북극해 → 대부분 얼음에 덮여 있습니다.
남극 대륙을 둘러싸고 있는 바다임.	북극 주변에 있는 바다로, 아시아, 유럽, 북아메리카 대륙에 둘러싸여 있음.

☑ 대양과 대륙

지구는 큰 바다인 대양과 바다로 둘러싸인 큰 땅덩어리인 ❶ ㄷㄹ 으로 이루어져 있습니다.

> 지구는 무엇으로 이루어져 있을까?
> 대양과 대륙!
> 빙그르르르
> 정답!

☑ 대양의 종류

가장 큰 바다인 ❷ ㅌㅍㅇ 을 비롯해 대서양, 인도양, 남극해, 북극해 등이 있습니다.

> 아직도 바다야?
> 우리는 가장 큰 바다인 태평양을 건너고 있어.
> 태평양

정답 ❶ 대륙 ❷ 태평양

내 교과서 살펴보기 / 금성출판사, 동아출판

'양'과 '해'의 다른 점

바다의 이름이 '양'으로 끝나는 바다는 매우 큰 바다를 말하며, '해'로 끝나는 바다는 육지와 섬이 가로막아 큰 바다와 떨어진 작은 바다를 말합니다.

개념③ 세계의 대륙

1. 각 대륙의 특징

유럽
다른 대륙에 비해 면적은 좁은 편이지만 많은 나라가 있음.

아시아
가장 넓은 대륙으로, 우리나라가 속해 있음.
└ 세계 인구의 절반 이상이 살고 있습니다.

북아메리카
태평양과 대서양, 북극해와 접해 있으며 세계에서 가장 큰 섬인 그린란드를 포함함.

남아메리카
대부분 남반구에 속해 있으며, 아마존 강이 페루, 브라질 등으로 흐름.

아프리카
아시아 다음으로 면적이 넓고, 북반구와 남반구에 걸쳐 있음.
└ 세계에서 가장 넓은 사막인 사하라 사막과 가장 긴 강인 나일강이 있습니다.

남극 대륙
아주 커다란 빙하가 덮여 있는 땅덩어리로, 지구에서 가장 춥고 바람이 많이 불어 식물이 자라기 어려움.

오세아니아
태평양과 인도양 사이에 위치한 면적이 가장 좁은 대륙으로, 대부분이 남반구에 속해 있음.

2. 각 대륙에 속한 나라

아시아	중국, 일본, 몽골, 인도, 사우디아라비아, 인도네시아 등
유럽	영국, 독일, 프랑스, 에스파냐, 이탈리아, 노르웨이 등
북아메리카	캐나다, 미국, 멕시코, 쿠바, 파나마, 자메이카 등
남아메리카	브라질, 에콰도르, 칠레, 페루, 아르헨티나 등
아프리카	이집트, 케냐, 탄자니아, 남아프리카 공화국 등
오세아니아	오스트레일리아, 뉴질랜드, 파푸아 뉴기니, 키리바시 등

☑ **세계의 여러 대륙**

대륙에는 일반적으로 아시아, 아프리카, ❸ ○ ㄹ , 오세아니아, 북아메리카, 남아메리카 등이 있습니다.

아시아에 속해 있어.

여러 대륙 중에 우리나라는 어디 있지?

정답 ❸ 유럽

개념 ④ 세계 여러 나라의 면적과 모양

1. 세계 여러 나라의 영토 면적

① 세계에서 영토 면적이 가장 넓은 나라는 러시아이며, 영토 면적이 가장 좁은 나라는 이탈리아 로마 시내에 있는 **바티칸 시국**입니다.

② 우리나라 영토의 면적은 약 22만 km²입니다. → 라오스, 영국, 가이아나 등과 영토 면적이 비슷합니다.

2. 세계 여러 나라의 모양 → 국경선, 해안선, 영토의 길이 등에 따라 다양합니다.

해안선이 복잡한 나라

노르웨이, 인도네시아, 일본 등

국경선이 단조로운 나라

사우디아라비아, 이집트, 미국 등

영토의 모양이 길게 뻗어 있는 나라

칠레, 네팔, 러시아 등

→ 영토가 동서로 길게 뻗어 있습니다.

영토가 둥근 모양인 나라

짐바브웨, 탄자니아, 체코, 레소토 등

☑ 세계 여러 나라의 면적

세계에서 영토 면적이 가장 넓은 나라는 러시아, 영토 면적이 가장 좁은 나라는 ④ [ㅂ][ㅌ][ㅋ] 시국입니다.

☑ 국경선이 단조로운 나라

국경선이 단조로운 나라에는 사우디아라비아, ⑤(일본 / 미국), 이집트 등이 있습니다.

정답 ④ 바티칸 ⑤ 미국

내 교과서 살펴보기 / 천재교과서, 교학사, 금성출판사, 김영사, 동아출판, 미래엔, 비상교과서, 비상교육, 지학사

영토의 모양이 사물이나 동물과 비슷한 나라

이탈리아	장화와 비슷함.
소말리아	부메랑과 닮음.
타이	코끼리와 비슷함.

개념 다지기

1 11종 공통

다음 □ 안에 들어갈 대양의 종류로 알맞지 <u>않은</u> 것은 어느 것입니까? ( )

> 대양은 넓은 면적을 차지하는 큰 바다를 말하며, □ 등이 있습니다.

① 동해
② 인도양
③ 남극해
④ 북극해
⑤ 태평양

2 11종 공통

다음에서 설명하는 대륙은 어디입니까? ( )

> 태평양과 인도양 사이에 위치한 면적이 가장 좁은 대륙으로, 대부분이 남반구에 속해 있습니다.

① 유럽
② 아시아
③ 아프리카
④ 오세아니아
⑤ 남아메리카

3 11종 공통

남아메리카에 대한 설명으로 알맞은 것은 어느 것입니까? ( )

① 대부분이 북반구에 속해 있다.
② 미국, 멕시코, 쿠바 등의 나라가 있다.
③ 아시아 다음으로 면적이 넓은 대륙이다.
④ 아마존 강이 페루, 브라질 등으로 흐른다.
⑤ 세계에서 가장 큰 섬인 그린란드를 포함한다.

4 11종 공통

다음 색칠된 대륙에 속한 나라가 <u>아닌</u> 것은 어느 것입니까? ( )

① 케냐
② 이집트
③ 탄자니아
④ 자메이카
⑤ 남아프리카 공화국

5 11종 공통

다음 질문에 대한 알맞은 대답은 어느 것입니까?

( )

> 세계에서 영토의 면적이 가장 넓은 나라는 어디입니까?

① 미국
② 인도
③ 중국
④ 캐나다
⑤ 러시아

천재교과서, 교학사, 금성출판사, 김영사, 동아출판,
미래엔, 비상교과서, 비상교육, 지학사

6 다음 지도를 보고 칠레의 영토 모양에 대해 알맞게 이야기한 어린이를 쓰시오.

> 주은: 둥근 모양의 영토를 갖고 있어.
> 희원: 영토가 남북으로 길게 뻗어 있어.

( )

Step ① 단원평가

[1~5] 다음은 개념 확인 문제입니다. 물음에 답하시오.

1 세계 여러 나라의 위치와 영역을 한눈에 살펴볼 수 있는 공간 자료는 (지구본 / 세계지도)입니다.

2 디지털 영상 지도를 이용하면 내 (이름 / 위치)을/를 검색할 수 있습니다.

3 아메리카, 유럽, 아프리카 대륙 사이에 위치한, 두 번째로 큰 바다는 무엇입니까?
( )

4 우리나라가 속해 있는 대륙은 어디입니까?
( )

5 세계에서 영토 면적이 가장 작은 나라는 어디입니까?
( )

11종 공통

6 다음에서 설명하는 공간 자료를 찾아 줄로 바르게 이으시오.

| (1) | 실제 지구의 모습을 작게 줄인 모형 | • | • | ㉠ | 지구본 |
| (2) | 둥근 지구를 평면으로 나타낸 것 | • | • | ㉡ | 세계지도 |

11종 공통

7 다음 세계지도에서 세로선인 ㉠과 가로선인 ㉡의 이름을 알맞게 짝 지은 것은 어느 것입니까? ( )

	㉠	㉡
①	경선	위선
②	경선	적도
③	위선	경선
④	위선	적도
⑤	적도	본초 자오선

11종 공통

8 다음 디지털 영상 지도에서 이동 경로를 검색하기 위해 눌러야 하는 단추의 기호를 쓰시오.

( )

천재교과서, 동아출판

9 공간 자료를 활용해 세계 여러 나라를 조사할 때 가장 먼저 해야 할 일은 무엇입니까? (   )

① 조사 보고서를 작성한다.
② 공간 자료를 활용해 정보를 수집한다.
③ 모둠별로 만든 소개 자료를 발표한다.
④ 조사한 내용을 모아 소개 자료를 만든다.
⑤ 세계 여러 나라의 어떤 내용을 소개할지 정한다.

11종 공통

10 지구의 구성에 대해 바르게 말한 어린이를 쓰시오.

> 예린: 대양과 대륙으로 이루어져 있어.
> 연수: 바다의 면적이 약 30%를 차지해.
> 민희: 대륙은 넓은 면적을 차지하는 큰 바다를 말해.

(   )

11종 공통

11 다음 □ 안에 들어갈 말로 알맞지 <u>않은</u> 것을 두 가지 고르시오. (,   )

> 태평양은 가장 큰 바다로, 주변에는 □ 등의 대륙이 있습니다.

① 유럽   ② 아시아
③ 아프리카   ④ 북아메리카
⑤ 오세아니아

11종 공통

12 다음에서 설명하는 대륙을 쓰시오.

> • 아시아 다음으로 면적이 넓습니다.
> • 세계에서 가장 넓은 사막인 사하라 사막과 가장 긴 강인 나일강이 있습니다.

(   )

11종 공통

13 다음 나라들의 공통점으로 알맞은 것은 어느 것입니까?
(   )

> • 영국 • 독일 • 프랑스 • 에스파냐 • 노르웨이

① 국경선이 단조롭다.
② 태평양과 접해 있다.
③ 남반구에 속해 있다.
④ 유럽 대륙에 속해 있다.
⑤ 해안선이 복잡한 섬나라이다.

천재교과서, 교학사, 김영사, 동아출판, 미래엔, 비상교과서, 비상교육, 지학사

14 다음 민정이가 말하고 있는 나라는 어디입니까?
(   )

나라의 영토 모양이 장화를 닮았네!

△ 민정

① 칠레   ② 케냐
③ 뉴질랜드   ④ 이탈리아
⑤ 인도네시아

11종 공통

15 다음은 세계지도에 대해 정리한 것입니다. ㉠에 들어갈 알맞은 말을 쓰시오.

세계지도	
의미	둥근 지구를 평면으로 나타낸 것
특징	㉠

답 세계 여러 나라의 영역과 [❶] 를 한눈에 살펴볼 수 있지만 땅과 바다

의 모양이나 크기가 실제와 [❷] 나타난다.

🔆 서술형 가이드
어려워하는 서술형 문제!
서술형 가이드를 이용하여 풀어 봐!

15 둥근 지구를 평면에 나타낸 공
간 자료인 (지구본 / 세계지도)
은/는 세계 여러 나라의 위치
를 한눈에 볼 수 있습니다.

16 다음은 대양 중 한 곳을 검색한 결과입니다.

11종 공통

[---- ▾] [㉠] [검색]

• 태평양, 대서양에 이어 세 번
째로 큰 바다이다.
• 북반구와 남반구에 걸쳐 있다.
• ㉡

(1) 위 ㉠에 공통으로 들어갈 대양의 이름을 쓰시오.

( )

(2) 위 ㉡에 들어갈 내용을 대양의 위치와 관련하여 쓰시오.

_____

_____

16 (1) 넓은 면적을 차지하는 큰
바다인 [ ][ ]에는 태
평양, 대서양, 인도양, 북극
해, 남극해 등이 있습니다.
(2) 인도양은 가장 큰 대륙인
[ ][ ][ ]와 아프리
카, 오세아니아 대륙 사이에
있습니다.

천재교과서, 동아출판, 미래엔, 비상교과서

17 오른쪽 지도를 보고 알 수 있는 노르웨이
영토 모양의 특징에 대해 쓰시오.

_____

_____

17 노르웨이와 같이 해안선이 복
잡한 나라들에는 (아이슬란드
/ 사우디아라비아), 일본 등이
있습니다.

학습 주제 세계의 대양과 대륙

학습 목표 대양과 대륙의 이름과 위치, 특징을 알 수 있다.

[18~20] 다음은 세계의 대양과 대륙을 나타낸 지도입니다.

18 위 ㉠~㉣에 들어갈 알맞은 대양과 대륙의 이름을 쓰시오.   11종 공통

㉠		㉡	
㉢		㉣	

19 다음에서 설명하는 대륙을 위에서 찾아 쓰시오.   11종 공통

- 북아메리카 대륙의 남쪽에 위치한 대륙입니다.
- 브라질, 에콰도르, 칠레 등이 이 대륙에 속해 있습니다.

(   )

20 위 ㉠ 대륙의 특징을 쓰시오.   11종 공통

_____

_____

수행평가 가이드
다양한 유형의 수행평가!
수행평가 가이드를 이용해 풀어 봐!

대양과 대륙

- 지구는 큰 바다인 대양과 바다로 둘러싸인 큰 땅덩어리인 대륙으로 이루어져 있습니다.
- 바다의 면적은 약 70%, 육지의 면적은 약 30%입니다.

1 단원

진도 완료 체크

㉠ 대륙에는 중국, 일본, 몽골, 인도네시아 등의 나라들이 속해 있어.

개념 ① 세계의 기후

1. 기후: 한 지역에서 여러 해에 걸쳐 일정하게 나타나는 평균적인 날씨

2. 세계의 기후 분포: 세계의 주요 기후는 기온과 강수량의 특징에 따라 구분합니다.

한대 기후
일 년 내내 평균 기온이 매우 낮음.

건조 기후
일 년 동안의 강수량이 500mm보다 적음.

열대 기후
일 년 내내 기온이 높고 연 강수량이 많음.

[출처: 다르케 세계 지도, 2015. / 구드 세계 지도, 2017.]

온대 기후
사계절이 뚜렷하고 기온이 온화하며 강수량이 풍부한 편임.

냉대 기후
사계절이 나타나며 온대 기후보다 겨울이 길고 추움.

고산 기후
고도가 높은 지역에서 나타나며, 주변의 고도가 낮은 지역보다 기온이 낮음.

3. 세계의 기후가 다르게 나타나는 까닭

① 지구는 둥근 형태로, 위도에 따라 땅에 닿는 햇빛의 양이 다르기 때문입니다.

적도 부근	일 년 내내 햇빛을 집중적으로 받아 기온이 높음.
극지방	햇빛을 분산하여 받아 기온이 낮음.

② 나라의 위치나 지형에 따라 기온과 강수량이 달라지기 때문입니다.

극지방은 추워요.
적도 부근은 더워요.
90°
60°
30°
0°
30°
⬆ 위도별 땅에 닿는 햇빛의 양

☑ **세계의 기후**

세계의 기후는 ❶ ㄱ ㅇ 이나 강수량의 특징에 따라 열대, 건조, 온대, 냉대, 한대, 고산 기후로 나눌 수 있습니다.

이 지도는 세계의 기후 분포를 나타낸 지도예요.
지역별로 나타나는 기후가 다양하네.

☑ **세계의 기후가 다른 까닭**

지구가 둥글기 때문에 ❷ ㅇ ㄷ 에 따라 땅에 닿는 햇빛의 양이 다르기 때문입니다.

고위도 지역으로 갈수록 태양열이 넓은 지역으로 분산되고 있어.
그래서 고위도 지역의 기온이 낮은 거구나!

정답 ❶ 기온 ❷ 위도

용어
사전

• **고도**(高 높을 고 度 도 도)
평균 해수면 따위를 0으로 하여 측정한 대상 물체의 높이

개념② 열대 기후

1. 열대 기후의 분포

- 적도를 중심으로 한 저위도 지역에서 나타남.
- 아프리카, 아시아, 남아메리카 대륙의 적도 주위에서 나타남.

2. 열대 기후 지역의 특징

① 일 년 내내 덥고, 연 강수량이 많아 습합니다.
② 건기와 우기가 번갈아 나타나는 지역은 열대 초원이 발달했습니다.
③ 비가 일 년 내내 많이 내리는 지역에서는 울창한 열대 우림이 나타납니다.

3. 열대 기후 지역의 생활 모습 → 전통적으로 채집이나 사냥을 통해 식량을 마련했습니다.

습기와 벌레를 피해 높은 나무나 기둥 위에 집을 지음.

화전 농업으로 얌, 카바사, 옥수수 등을 재배함.

농장을 만들어 바나나, 카카오, 커피, 고무 등을 대규모로 재배함.

초원의 야생 동물을 관찰하는 사파리 관광 등의 관광 산업도 발달했음.

내 교과서 살펴보기 / 교학사, 금성출판사, 김영사, 동아출판, 미래엔, 비상교과서, 비상교육

생태 관광
- 열대 기후 지역의 생태계를 보전하면서 여행하는 관광입니다.
- 밀림과 초원을 활용한 사파리 관광, 전통 부족 생활 체험 등이 있습니다.

☑ 열대 기후

적도를 중심으로 한 저위도 지역에서 나타나는 열대 기후는 일 년 내내 ❸(덥고 / 춥고) 습합니다.

열대 기후 지역인데 초원이 형성되어 있다니!

건기와 우기가 번갈아 나타나는 지역이라서 그래.

☑ 열대 기후 지역의 생활 모습

숲을 태워 ❹ ㅎ ㅈ 농업을 하거나, 농장에서 열대작물을 대규모로 재배하기도 합니다.

농장이 엄청 커요!

열대 기후 지역에서는 이렇게 농장을 만들어서 바나나, 커피 같은 작물들을 대규모로 재배해.

정답 ❸ 덥고 ❹ 화전

용어 사전

건기(乾 마를 건 期 기약할 기)
일 년 중 비가 적게 내리는 시기
우기(雨 비 우 期 기약할 기)
일 년 중 비가 많이 내리는 시기
화전 농업
숲을 태우고 그 재를 영양분으로 삼아 농작물을 기르는 방법

개념③ 건조 기후

1. 건조 기후의 분포

- 위도 20° 부근과 바다에서 멀리 떨어진 곳에 나타남.
- 북부 아프리카, 서남아시아, 중앙아시아, 오스트레일리아 내륙, 북아메리카 서부 등에서 나타남.

2. 건조 기후 지역의 특징

① 강수량이 적고, 기온의 일교차가 매우 큽니다. → 연 강수량이 500mm를 넘지 못할 정도로 적어 나무가 자라기 어렵습니다.

② 강수량이 매우 적어 사막이 발달한 지역도 있고, 약간의 비가 내려서 초원이 형성된 지역도 있습니다.

3. 건조 기후 지역의 생활 모습

사막 지역에 사는 사람들	• 강이나 오아시스 주변에 모여 살며 밀, 대추야자 등을 기름. • 흙벽돌로 만든 집에서 생활하며, 낙타를 타고 이동하기도 함. 사막의 오아시스 ▶ [출처: 셔터스톡]
초원 지역에 사는 사람들	• 가축에게 먹일 물과 풀을 찾아 이동하며 살아가는 유목 생활을 함. • 이동 생활에 유리하도록 간단히 설치하고 해체할 수 있는 집을 만듦. ⊙ 유목 생활 [출처: 셔터스톡]　⊙ 이동식 집 [출처: 셔터스톡]

> 내 교과서 살펴보기 / 천재교육, 천재교과서, 김영사

관개 농업

- 건조 기후 지역에서는 다른 지역의 물을 끌어오는 공사를 하여 더 넓은 지역에서 농사지을 수 있도록 하기도 합니다.
- 깊은 땅속의 지하수를 끌어올려 스프링클러를 회전하며 밭에 물을 뿌리기 때문에 밭이 둥근 모양입니다. └→ 물을 흘어서 뿌리는 기구

☑ 건조 기후

강수량이 적고, 기온의 일교차가 큰 건조 기후 지역에는 주로 사막이나 ❺(숲 / 초원)이 발달했습니다.

사막이 끝이 안 보여!

이곳은 비가 거의 내리지 않는 건조 기후 지역이야.

헉 헉

☑ 건조 기후 지역의 생활 모습

사막에서는 강이나 오아시스 주변에서 농사를 짓고, 초원에서는 ❻[○][□] 생활을 합니다.

조립이 쉬워서 유목 생활에 유리하겠어.

자주 돌아다니는 게 힘들진 않니?

정답 ❺ 초원 ❻ 유목

용어 사전

오아시스
사막 가운데에 샘이 솟고 나무가 자라는 곳

관개(灌 물 댈 관 漑 물 댈 개)
농사를 짓는 데에 필요한 물을 논밭에 대는 것

개념 다지기

[1~3] 다음은 세계의 기후 분포를 나타낸 지도입니다.

1 적도 부근에서 주로 나타나는 기후를 찾아 쓰시오.

( ) 기후

2 다음에서 설명하는 기후로 알맞은 것은 어느 것입니까?
( )

> 극지방 부근에서 주로 나타나며 일 년 내내 평균 기온이 매우 낮습니다.

① 건조 기후　　　② 냉대 기후
③ 고산 기후　　　④ 한대 기후
⑤ 온대 기후

3 위와 같이 지역마다 서로 다른 기후가 나타나는 까닭은 무엇입니까? ( )
① 지역마다 기온이 같기 때문에
② 모든 지역의 강수량이 같기 때문에
③ 나라마다 생활 모습이 다르기 때문에
④ 나라마다 사용하는 언어가 다르기 때문에
⑤ 위도에 따라 땅에 닿는 햇빛의 양이 다르기 때문에

4 열대 기후 지역에 대한 설명으로 알맞지 <u>않은</u> 것은 어느 것입니까? ( )
① 카사바, 얌 등을 재배하기도 한다.
② 강수량이 매우 적고 일교차가 크다.
③ 울창한 열대 우림이 나타나기도 한다.
④ 습기와 벌레를 피해 높은 곳에 집을 짓는다.
⑤ 생태 관광 산업이 활발하게 이루어지기도 한다.

5 건조 기후 지역에 사는 사람들의 생활 모습과 관련 있는 것을 찾아 기호를 쓰시오.

△ 화전 농업을 함.

△ 유목 생활을 함.

( )

6 건조 기후 지역에 대해 알맞게 말한 어린이는 누구입니까? ( )
① 도윤: 사막 지역에서는 주로 통나무집을 지어.
② 은영: 건조한 날씨 때문에 농사를 지을 수 없어.
③ 정아: 초원 지역에서는 낙타를 타고 이동하기도 해.
④ 민상: 오아시스 주변에서 바나나와 커피를 재배해.
⑤ 제훈: 다른 지역의 물을 끌어와서 농사를 짓기도 해.

6 세계의 다양한 기후

개념알기

개념① 온대 기후

1. 온대 기후의 분포

- 위도 30°~60° 사이 중위도 지역에 주로 나타남.
- 동부 아시아를 포함하여 모든 대륙에서 나타남.

2. 온대 기후 지역의 특징 → 지역에 따라 강수량과 기온이 다르게 나타납니다.

① 사계절의 변화가 비교적 뚜렷하고 온화합니다.
② 여름보다 겨울 강수량이 많은 지역이 있습니다. 예 지중해 주변
③ 일 년 내내 비가 고르게 내리는 곳이 있습니다. 예 서유럽, 칠레 남부
④ 여름과 겨울의 기온 차가 크고 겨울보다 여름 강수량이 많은 지역이 있습니다. 예 우리나라

3. 온대 기후 지역의 생활 모습
→ 서유럽의 일부 지역에서는 화훼 농업이 이루어지기도 합니다.

① 기온이 온화하고 강수량이 풍부해 일찍부터 다양한 농업이 발달했습니다.

아시아	유럽이나 아메리카	지중해 주변 지역
벼농사	**밀 재배**	**올리브 수확**
[출처: 게티이미지]	[출처: 셔터스톡]	[출처: 셔터스톡]
• 강수량이 많은 여름 기후를 이용해 벼농사를 지음. • 쌀을 이용한 음식이 발달함.	• 넓은 들에서 밀을 재배함. • 밀가루로 만드는 빵이나 면 종류가 발달함.	건조한 여름에도 잘 자라는 올리브, 오렌지, 레몬 등의 작물을 재배함.

② 온화한 기후를 이용한 목축업이나 관광 산업이 발달했습니다.

예 지중해 해안의 여름은 흐린 날이 드물어 햇살이 좋고, 파란 하늘이 멋져서 여름철 휴양지로 인기가 높음.

☑ 온대 기후

중위도 지역에 주로 나타나는 온대 기후는 ❶ [ㅅ][ㄱ][ㅈ] 의 변화가 뚜렷하고 온화합니다.

우리나라에서는 사계절 옷을 다 입을 수 있어서 행복해!

후우

못 말려.

☑ 온대 기후 지역의 농업

아시아에서는 벼농사를 널리 짓고, 지중해 주변 지역에서는 ❷(올리브 / 카사바)를 재배합니다.

지중해 주변에는 올리브가 많네요!

여름 강수량이 적은 이곳에서도 잘 견디는 작물이거든.

정답 ❶ 사계절 ❷ 올리브

용어사전

• **지중해**(地 땅 지 中 가운데 중 海 바다 해)
유럽, 아시아, 아프리카 세 대륙에 둘러싸인 바다
• **화훼 농업**
꽃이 피는 풀과 나무 등을 기르는 농업

개념 2 냉대 기후

1. 냉대 기후의 분포

- 북반구의 중위도과 고위도 지역에 널리 나타남.
- 러시아, 우리나라 북부, 캐나다, 미국의 북부 등에 나타남.

2. 냉대 기후 지역의 특징

① 사계절의 변화가 뚜렷합니다.
② 온대 기후보다 겨울이 길고 춥습니다.
③ 기후의 영향으로 뾰족한 잎을 가진 침엽수가 숲을 이룹니다.

요IO 3. 냉대 기후 지역의 생활 모습 → 기온이 비교적 온화한 곳을 중심으로 밀, 보리, 감자 등의 작물을 재배합니다.

목재를 생산하고, 펄프를 이용해 종이를 만드는 산업이 발달함.

풍부한 나무를 이용해 통나무집을 지어 생활함.
  → 이즈바

개념 3 고산 기후

분포	높은 산지가 있는 지역에서 나타남. 예 남아메리카 대륙의 서쪽
특징	• 해발 고도가 높을수록 기온이 점점 낮아짐. • 적도 부근의 고산 지대에서는 일 년 내내 봄과 같은 선선한 기후를 유지함. → 인간이 거주하기 유리하여 일찍부터 도시가 발달했습니다.
고산 기후 지역의 생활 모습	• 선선한 기후를 바탕으로 관광 산업이 발달함. • 라마와 알파카 같은 가축을 길러 고기와 털을 얻음. • 서늘한 지역에서 잘 자라는 감자와 옥수수를 재배함.

☑ 냉대 기후

냉대 기후는 사계절의 변화가 뚜렷하지만 온대 기후에 비해 ❸ ㄱ ㅇ 이 길고 춥습니다.

뾰족한 나무가 엄청 많아!

그래서 종이를 만드는 산업이 발달했나봐~

1 단원

☑ 고산 기후

고산 기후는 높은 산지가 있는 지역에서 나타나며 ❹ ㅈ ㄷ 주변의 고산 지역은 일 년 내내 날씨가 온화합니다.

이곳은 높은 곳이라 그런지 적도 주변인데도 선선하네!

정답 ❸ 겨울 ❹ 적도

 용어 사전

*펄프
종이 등을 만들려고 나무 등의 섬유 식물에서 뽑아낸 재료

개념 ④ 한대 기후

1. 한대 기후의 분포

고위도 지역에서 주로 나타나며, 북극과 남극 주변에 분포함.

2. 한대 기후 지역의 특징

① 일 년 내내 기온이 매우 낮습니다. → 농사를 짓기 어렵습니다.

② 땅이 눈과 얼음으로 뒤덮여 있고, 땅속이 단단하게 얼어 있습니다.

③ 기온이 계속 영하인 곳도 있고, 짧은 여름 동안에만 기온이 올라가면서 이 끼가 자라는 곳도 있습니다.

3. 한대 기후 지역의 생활 모습

순록 유목	장보고 과학 기지	천연자원 개발
[출처: 셔터스톡]	[출처: 연합뉴스]	[출처: 셔터스톡]
어업을 하거나 순록을 키우며 유목 생활을 함. ┐ 다른 지역에서 물자를 들여와 생활하는 지역이 늘고 있습니다.	연구소나 과학 기지를 세워 극지방의 자연환경 등을 연구함.	석유와 천연가스 등이 풍부해 자원 개발이 활발히 이루어짐.

내 교과서 살펴보기 / 천재교과서, 미래엔, 비상교과서, 비상교육, 아이스크림 미디어

한대 기후 지역의 주생활

• 한대 기후의 일부 지역에서는 여름철에 땅이 녹아 건물이 기울어지는 것을 막기 위해 바닥을 지면에서 띄워 지은 고상 가옥에서 생활합니다.

• 멀리 사냥을 나갔을 때는 눈과 얼음으로 집을 만들어 잠시 머물기도 합니다.

[출처: ⓒVitalii_Manchuk/shutterstock]

눈과 얼음으로 지은 이글루 ▶

☑ 한대 기후

고위도 지역에서 주로 나타나는 한대 기후는 일 년 내내 기온이 매우 ❺(높 / 낮)습니다.

너무 춥다.

일 년 내내 이렇게 추운 곳도 있다니.

☑ 한대 기후 지역의 생활 모습

한대 기후 지역의 사람들은 주로 어업이나 ❻ ㅅ ㄹ 을 키우며 유목 생활을 합니다.

농사를 짓기 어려운 환경이라 그런가봐.

한대 기후 지역 사람들은 순록을 기르거나 바다에서 생선을 잡는대.

정답 ❺ 낮 ❻ 순록

📖 용어 사전

⚫기지(基 터 기 地 땅 지)
군대, 탐험대 따위의 활동의 기점이 되는 근거지

개념 다지기

1 온대 기후 지역에 대한 설명으로 알맞은 것을 보기 에서 두 가지 찾아 기호를 쓰시오.

> **보기**
> ㉠ 인구가 많습니다.
> ㉡ 사계절의 변화가 뚜렷합니다.
> ㉢ 주로 고위도에 속해 있습니다.
> ㉣ 강수량이 많아 울창한 열대 우림을 이룹니다.

(,)

2 다음 사진 속 생활 모습과 관련 있는 기후는 어느 것입니까? ( )

⬆ 아시아의 벼농사

⬆ 지중해 주변의 올리브 재배

① 건조 기후   ② 고산 기후
③ 한대 기후   ④ 온대 기후
⑤ 냉대 기후

3 다음은 어느 기후 지역의 분포를 나타낸 지도인지 쓰시오.

⬆ 북반구의 중위도와 고위도 지역에 널리 나타남.

( ) 기후

4 냉대 기후 지역에서 펄프 산업이 발달한 까닭으로 알맞은 것은 어느 것입니까? ( )
① 평균 기온이 높기 때문에
② 침엽수림이 발달했기 때문에
③ 초원이 형성되어 있기 때문에
④ 여름에 비가 적게 내리기 때문에
⑤ 땅이 눈과 얼음으로 뒤덮여 있기 때문에

5 적도 부근의 고산 기후의 특징으로 알맞은 것은 어느 것입니까? ( )
① 건기와 우기가 있다.
② 겨울에 비가 많이 온다.
③ 일 년 내내 봄과 같이 선선하다.
④ 겨울에 눈이 녹지 않고 쌓여 있다.
⑤ 강수량이 매우 적어 나무가 자라기 어렵다.

6 다음과 같은 집을 볼 수 있는 지역의 생활 모습으로 알맞은 것은 어느 것입니까? ( )

⬆ 이글루

① 레몬이나 오렌지를 재배한다.
② 낙타를 타고 이동하기도 한다.
③ 양과 염소를 기르며 유목 생활을 한다.
④ 석유나 천연가스 등의 자원을 개발한다.
⑤ 이동 생활에 유리한 집을 만들어 생활한다.

6 세계 여러 나라 사람들의 생활 모습

개념 체크

개념 ① 세계 여러 나라 사람들의 생활 모습

1. 세계 여러 나라 사람들의 의생활

사막 지역의 전통 의복	고산 기후 지역의 판초	인도의 사리
[출처: ©Zhukov Oleg/shutterstock]		[출처: 셔터스톡]
큰 천으로 머리와 온몸을 감싸 뜨거운 햇볕으로부터 몸을 보호함.	낮과 밤의 기온차가 크기 때문에 체온 유지를 위해 판초를 입음.	바느질을 하지 않은 긴 천으로 이루어진 옷을 입음.

└ 인도인이 주로 믿는 힌두교에서는 바느질하지 않은 옷을 깨끗하다고 여기기 때문입니다.

> 내 교과서 살펴보기 / 천재교육, 김영사, 비상교과서, 비상교육, 아이스크림 미디어
>
> **지역마다 다른 모자의 모양**
> 날씨가 추운 러시아에서는 동물의 털로 만든 우샨카를, 해가 뜨거운 멕시코에서는 챙이 넓은 솜브레로를, 덥고 습한 베트남에서는 햇빛과 비를 막기 위해 논라를 씁니다.

2. 세계 여러 나라 사람들의 식생활

타이의 팟타이	멕시코의 타코	한대 기후 지역의 말린 생선
[출처: 게티이미지]	[출처: 셔터스톡]	[출처: 셔터스톡]
벼농사를 짓기 때문에 쌀로 만든 음식이 발달함.	옥수수 생산량이 많아 옥수수로 만든 음식이 발달함.	추운 날씨를 이용해 생선을 말리기 쉬움.

└ 인도네시아의 나시고렝도 있습니다.

3. 세계 여러 나라 사람들의 주생활

→ 모래바람이 자주 불기 때문에 창문을 작게 만듭니다.

열대 기후 지역의 고상 가옥	사막 지역의 흙벽돌집	초원 지역의 게르
[출처: 셔터스톡]		[출처: 셔터스톡]
더위와 해충을 막기 위해 땅에서 띄워 집을 지음.	주변에서 구하기 쉬운 흙으로 집을 만듦.	이동 생활을 위해 조립과 해체가 간편한 집을 지음.

4. 세계 여러 나라 사람들의 생활 모습이 다양한 까닭: 사람들의 생활 모습은 기후, 지형 등 자연환경과 풍습, 종교와 같은 인문환경의 영향을 받기 때문입니다.

☑ **세계 여러 나라 사람들의 식생활**

옥수수가 많이 나는 멕시코에서는 타코가, ❶ [ㅂ] 농사를 짓는 타이에서는 쌀로 만든 음식이 발달했습니다.

☑ **사람들의 생활 모습이 다르게 나타나는 까닭**

나라마다 자연환경과 인문환경이 ❷ (같기 / **다르기**) 때문입니다.

정답 ❶ 벼 ❷ 다르기

용어 사전

● **타코**
얇게 구운 옥수수빵에 채소와 고기를 넣어 먹는 음식

개념 ② 세계의 다양한 문화

1. 서로 다른 생활 모습

시에스타	낮이 길고 더운 남부 유럽에서는 (예) 에스파냐, 그리스 점심 식사 후 낮잠을 자거나 휴식을 취함.
이슬람교를 믿는 사람들 └ 돼지고기를 먹지 않습니다.	하루에 다섯 번 기도하고, 라마단 기간 동안에는 낮에 물과 음식을 먹지 않음.
영국의 자동차 운전석	옛날 영국인들이 마차를 타고 다니던 때에 마차를 모는 마부들이 오른쪽에 앉았던 풍습이 이어져 옴.
인도의 식사 문화	소를 *신성하게 여기는 힌두교의 영향을 받아 소고기를 먹지 않고, 오른손으로 밥을 먹음.

2. 서로 다른 생활 모습을 대할 때 지녀야 할 태도

| 세계 여러 나라의 다양한 생활 모습은 각각 고유한 가치를 지니고 있음. | → | 서로 다른 생활 모습을 이해하고 존중하려는 마음가짐이 필요함. |

내 교과서 살펴보기 / 천재교육, 김영사, 동아출판, 비상교과서, 비상교육, 아이스크림 미디어

세계의 다양한 축제

프랑스 레몬 축제	여름이 덥고 건조한 망통에서 매년 2월에 수확한 레몬으로 조형물을 만들어 즐기는 축제
백야 축제	러시아 상트페테르부르크에서 낮이 긴 5월에서 7월까지 열리는 축제
타이 송끄란	가장 더운 시기에 서로에게 물을 뿌리며 농사를 위한 비가 많이 오기를 기원하는 축제

☑ 시에스타

시에스타는 낮이 길고 더운 남부 유럽에서 점심 식사 후 ❸ (낮잠을 자는 / 공부를 하는) 풍습입니다.

1 단원

☑ 다양한 생활 모습을 대하는 태도

세계 여러 나라의 생활 모습은 각각 고유한 가치를 지니고 있기 때문에 ❹ [ㅇ] [ㅎ] 하고 존중해야 합니다.

정답 ❸ 낮잠을 자는 ❹ 이해

* 신성(神 신 신 聖 성인 성)
함부로 가까이할 수 없을 만큼 고결하고 거룩함.

개념 3 세계 여러 나라 사람들의 생활 모습 조사하기 예 사우디아라비아 사람들의 옷차림

조사할 주제 정하기	세계 여러 나라나 지역의 생활 모습 중에서 관심 있는 내용을 주제로 정함.

조사 계획 세우기	조사할 내용, 자료 수집 방법, 모둠 내 역할 분담을 의논한 후 조사 계획서를 작성함.

└→ 계획서를 작성하면 필요한 내용을 빠짐없이 조사할 수 있습니다.

주제	사우디아라비아 사람들은 왜 긴 옷을 입을까?
조사할 내용	• 사우디아라비아의 지형, 기후 • 사우디아라비아 사람들이 주로 믿는 종교 • 사우디아라비아 사람들의 생활 모습
자료 수집 방법	• 책에서 찾아보기 • 인터넷 검색하기
역할 분담	• 지수, 재영: 사우디아라비아의 지형, 기후 찾아보기 • 서연, 준우: 사우디아라비아 사람들이 주로 믿는 종교와 생활 모습 조사하기

자료 수집하고 분석하기	조사 계획에 따라 자료를 수집하고, 사람들의 생활 모습에 영향을 준 원인을 찾아 봄.

조사한 내용을 바탕으로 다양한 형태의 보고서를 작성함.

사우디아라비아 사람들의 옷차림

조사 보고서 작성하기		
	지형과 기후	국토의 90%가 사막으로 이루어진 사우디아라비아는 건조 기후에 속한다. 이 지역에 사는 사람들은 강한 햇빛과 모래바람으로부터 몸을 보호하기 위해 온몸을 감싸는 길고 헐렁한 옷을 입는다.
	종교	이슬람교를 주로 믿는다. 이슬람교에서는 무릎이나 어깨를 가리는 단정한 옷차림을 권한다.
	그 밖의 생활 모습	• 오아시스 주변에서 주로 밀과 대추야자를 재배한다. • 주변에서 구하기 쉬운 흙으로 벽돌을 만들어 집을 짓는다.
	결론	길고 헐렁한 옷은 사우디아라비아의 지형, 기후, 종교에 적합한 옷차림이다. 사람들의 생활 모습이나 옷차림은 그 나라의 자연환경과 인문환경의 영향을 받는다.

조사할 주제를 정한 다음 ㄱ ㅎ 을 세우고, 자료 수집과 분석을 거친 후 조사 보고서를 작성합니다.

나는 이슬람교를 믿는 사람들이 돼지고기를 먹지 않는 까닭을 알고 싶어.

그럼 그 주제와 관련하여 조사 계획을 세워 보자!

☑ **자료 수집하고 분석하기**

조사 계획에 따라 수집한 자료를 바탕으로 사람들의 생활 모습에 영향을 준 ❻ ○ ○ 을 찾아봅니다.

나는 도서관에서 이슬람교에 대한 책을 찾아 봤어.

인터넷을 보니 이슬람교를 믿는 사람들은 주로 건조 기후 지역에 살고 있네!

짜잔!

정답 ❺ 계획 ❻ 원인

개념 다지기

천재교육, 천재교과서, 동아출판

1 사막 지역에서 다음과 같은 옷을 입는 까닭으로 알맞은 것은 어느 것입니까? ( )

① 해충을 피하기 위해서
② 눈이 많이 오기 때문에
③ 직업을 나타내기 위해서
④ 비가 많이 내리기 때문에
⑤ 뜨거운 햇볕을 막기 위해서

천재교육, 교학사, 동아출판, 비상교육, 지학사

2 다음 나라와 관련 있는 음식을 줄로 바르게 이으시오.

(1) 멕시코 ·

· ㉠
🔺 팟타이

(2) 타이 ·

· ㉡
🔺 타코

11종 공통

3 세계 여러 나라 사람들의 생활 모습에 영향을 미치는 인문환경을 보기 에서 두 가지 찾아 기호를 쓰시오.

보기
㉠ 기후   ㉡ 풍습   ㉢ 종교   ㉣ 지형

(,)

천재교육, 김영사, 미래엔

4 다음 밑줄 친 부분에 해당하는 종교는 어느 것입니까?
( )

> __이 종교__를 믿는 지역에서는 라마단 기간의 해가 떠 있는 동안에는 물과 음식을 먹지 않는 풍습이 있습니다.

① 불교   ② 힌두교
③ 기독교   ④ 유대교
⑤ 이슬람교

1
단원

진도 완료
체크

11종 공통

5 서로 다른 생활 모습을 대할 때 지녀야 할 바람직한 태도로 알맞은 것에 ◯표를 하시오.

(1) 이상하게 보이는 생활 모습은 무시합니다.

( )

(2) 서로 다른 생활 모습을 이해하고 존중합니다.

( )

11종 공통

6 세계 여러 나라 사람들의 생활 모습을 조사할 때 가장 먼저 해야 할 일은 어느 것입니까? ( )

① 조사 계획 세우기
② 조사할 주제 정하기
③ 조사 보고서 작성하기
④ 자료를 수집하고 분석하기
⑤ 모둠 내 역할 분담 의논하기

Step ① 단원평가

[1~5] 다음은 개념 확인 문제입니다. 물음에 답하시오.

1 한 지역에서 여러 해에 걸쳐 일정하게 나타나는 평균적인 날씨를 무엇이라고 합니까?

( )

2 열대 기후 지역에서 발달한, 생태계를 보전하면서 여행하는 관광을 무엇이라고 합니까?

( )

3 사계절이 뚜렷하고 기온이 온화하며 강수량이 풍부한 기후는 (온대 / 건조) 기후입니다.

4 사막 지역에서는 주변에서 구하기 쉬운 (돌 / 흙)(으)로 집을 만들어 생활합니다.

5 영국의 자동차 운전석은 (왼 / 오른)쪽에 있습니다.

11종 공통
6 다음 설명에 해당하는 기후는 어느 것입니까? ( )

> 적도 부근에서 주로 나타나며, 일 년 내내 기온이 높고 연 강수량이 많습니다.

① 열대 기후　　　　② 온대 기후
③ 건조 기후　　　　④ 고산 기후
⑤ 한대 기후

11종 공통
7 열대 기후 지역의 생활 모습과 관련 있는 것으로 알맞은 어느 것입니까? ( )

①
🔺 이동식 집을 만들어 생활함.

②
🔺 넓은 들판에서 밀을 재배함.

③
🔺 석유와 천연가스 등의 자원을 개발함.

④
🔺 바닥을 땅에서 높이 띄워 집을 지음.

11종 공통
8 다음 건조 기후 지역에서 나타나는 자연환경과 생활 모습을 줄로 바르게 이으시오.

(1) 사막 ・　　　　・㉠ 밀, 대추야자 같은 작물을 기름.

(2) 초원 ・　　　　・㉡ 유목 생활을 함.

9 다음은 어떤 기후와 관련 있는 설명인지 보기에서 찾아 각각 기호를 쓰시오.

11종 공통

보기
ㄱ 냉대 기후   ㄴ 한대 기후   ㄷ 온대 기후

(1) 뾰족한 잎을 가진 침엽수가 숲을 이룹니다.
(　　　)

(2) 기후가 온화해 인구가 많고 다양한 산업이 발달했습니다.
(　　　)

(3) 사람들이 주로 어업을 하거나 순록을 키우며 유목 생활을 합니다.
(　　　)

10 고산 기후 지역의 생활 모습으로 알맞은 것은 어느 것입니까? (　　　)

11종 공통

① 화전 농업을 주로 한다.
② 목재와 펄프를 생산한다.
③ 오아시스 주변에서 생활한다.
④ 알파카 등의 가축을 길러 고기와 털을 얻는다.
⑤ 풍부한 나무를 이용해 통나무집을 지어 생활한다.

11 타이에서 오른쪽과 같이 쌀로 만든 음식이 발달한 까닭으로 알맞은 것은 어느 것입니까?
(　　　)

천재교육

⬆ 팟타이

① 벼농사를 널리 짓기 때문에
② 불교의 영향을 받았기 때문에
③ 화산 지형이 발달했기 때문에
④ 기온이 낮아 쌀을 구하기 쉽기 때문에
⑤ 외국에서 쌀을 많이 수입해 오기 때문에

12 다음 □ 안에 들어갈 알맞은 말을 보기에서 찾아 쓰시오.

천재교육, 김영사, 비상교과서, 비상교육, 아이스크림 미디어

해가 뜨거운 멕시코에서는 햇빛을 막기 위해 챙이 넓은 □□□□라는 모자를 씁니다.

[출처: 셔터스톡]

보기
• 논라   • 우샨카   • 솜브레로

(　　　　　)

1
단원

13 세계 여러 나라의 문화를 대할 때 바람직한 태도로 대한 어린이를 쓰시오.

11종 공통

예진: 점심 식사 후 낮잠을 자는 에스파냐 사람들은 게으른 것 같아.
석규: 오른손으로 밥을 먹는 인도 사람들을 보고 나라마다 고유한 가치가 있다고 생각했어.

(　　　　　)

14 다음은 세계 여러 나라 사람들의 생활 모습 조사 과정 중 어느 과정에 해당합니까? (　　　)

11종 공통

우리는 인터넷으로 사우디아라비아 사람들이 주로 믿는 종교와 생활 모습을 알아보고 있어.

① 소개 자료 만들기
② 조사 보고서 작성하기
③ 조사 보고서 발표하기
④ 자료를 수집하고 분석하기
⑤ 모둠 내 역할 분담 의논하기

15 지역마다 서로 다른 기후가 나타나는 까닭을 오른쪽 그림과 관련하여 쓰시오.

11종 공통

극지방은 추워요.

적도 부근은 더워요.

답 지구가 ❶ [　　　] 모양이기 때문에

❷ [　　　] 에 따라 땅에 닿는 햇빛의 양이 다르기 때문이다.

15 땅에 닿는 햇빛의 양이 많은 [　][　] 부근의 기온이 가장 높고, 고위도로 갈수록 기온이 점점 낮아집니다.

16 다음에서 설명하는 기후 지역 사람들의 생활 모습을 한 가지만 쓰시오.

11종 공통

• 중위도 지역에 주로 나타납니다.
• 인구가 많고 여러 산업이 발달했습니다.
• 사계절의 변화가 비교적 뚜렷하고 온화합니다.

16 중위도 지역에 분포한 온대 기후 지역에서는 기후가 온화해 [　][　]가 많고 다양한 산업이 발달했습니다.

_____

_____

17 다음은 인도 사람들이 입는 옷입니다.

천재교육, 천재교과서, 교학사, 김영사, 동아출판, 비상교과서, 비상교육, 지학사

(1) 위와 같이 바느질을 하지 않은 긴 천으로 이루어진, 인도의 전통 의상의 이름을 쓰시오. (　　　　　　　　　　)

(2) 인도 사람들이 위와 같은 옷을 입는 까닭을 쓰시오.

_____

_____

17 (1) 사리는 [　][　][　] 하지 않은 긴 천으로 이루어진 인도의 전통 의상입니다.

(2) 인도에서 사리를 입는 것은 인도 사람들이 주로 믿는 종교인 [　][　][　]와 관련이 있습니다.

Step 3 수행평가

학습 주제 세계 여러 나라 사람들의 생활 모습

학습 목표 나라마다 다양한 생활 모습이 나타나는 까닭을 알 수 있다.

[18~20] 다음은 세계 여러 나라 사람들의 의식주 생활 모습입니다.

ⓐ [   ]

ⓐ 큰 천으로 머리와 온몸을 감싼 옷

ⓐ 긴 천에 구멍을 뚫어 만든 판초

ⓐ 고상 가옥

ⓐ 게르

ⓐ 말린 생선

천재교육, 교학사, 동아출판, 비상교육, 지학사

18 다음 설명을 보고, 위 ㉠의 □ 안에 들어갈 말을 보기 에서 찾아 쓰시오.

> 멕시코에서 주로 먹는 음식으로 얇게 구운 옥수수빵에 채소와 고기를 넣어 만들었습니다.

보기
- 타코
- 케밥
- 나시고렝

(   )

11종 공통

19 위 ㉠~㉡ 중 고산 기후 지역의 생활 모습과 관련 있는 것을 찾아 기호를 쓰시오.

(   )

11종 공통

20 위와 같이 세계 여러 나라 사람들의 생활 모습이 다양하게 나타나는 까닭을 쓰시오.

_____

_____

수행평가 가이드
다양한 유형의 수행평가!
수행평가 가이드를 이용해 풀어 봐!

세계의 다양한 생활 모습

• 세계 여러 나라에 나타나는 다양한 생활 모습은 각각 고유한 가치를 지니고 있습니다.

• 서로 다른 생활 모습을 대할 때는 이해하고 존중하려는 태도가 필요합니다.

1 단원

진도 완료 체크

고산 기후 지역은 높은 산지에 있어서 낮과 밤의 기온 차가 커.

개념 알기

1. ❸ 우리나라와 가까운 나라들(1)

개념① 우리나라와 이웃한 나라들

러시아
세계에서 영토가 가장 넓고, 아시아와 유럽에 걸쳐 있음.

일본
우리나라의 동쪽에 있고, 우리나라와 동해를 사이에 두고 있는 섬나라임.

중국
우리나라의 서쪽에 있고, 주변의 많은 나라와 국경을 접하고 있음.

➡ 우리나라는 서쪽의 중국, 동쪽의 일본, 북쪽으로는 러시아와 국경을 마주하고 있습니다.

☑ 우리나라의 이웃 나라

우리나라는 서쪽의 중국, 동쪽의 일본, 북쪽의 ❶ ㄹ ㅅ ㅇ 와 국경을 마주하고 있습니다.

우리나라의 이웃 나라는 어디일까?

서쪽으로는 중국, 동쪽으로는 일본, 북쪽으로는 러시아가 있어.

개념② 이웃 나라의 자연환경과 인문환경

1. 중국

베이징
수도이자 긴 역사를 가진 도시

시짱고원(티베트고원)
중국 서남부에 있는 높고 험준한 고산 지대

상하이
공업, 무역, 과학 기술, 금융의 중심지

자연환경	• 동쪽은 넓은 평야와 대도시, 서쪽에는 고원과 산지가 분포함. • 남쪽에서 북쪽으로 갈수록 열대, 온대, 냉대 기후가 나타나며 서쪽에는 건조 기후도 나타남.
인문환경	• 세계에서 인구가 가장 많은 나라로 꼽힘. → 50개가 넘는 소수 민족이 거주합니다. • 자원이 풍부하고 여러 가지 산업이 발달했음.

☑ 중국

중국은 세계에서 인구가 가장 많은 나라로 동쪽에는 대도시, 서쪽에는 ❷ (산지 / 평야)가 분포합니다.

여기가 바로 중국의 수도인 베이징이야.

세계에서 인구가 가장 많다더니 벌써부터 사람이 엄청 많네요.

정답 ❶ 러시아 ❷ 산지

용어 사전

• 험준(險 험할 험 峻 높을 준)
지세가 험하며 높고 가파름.
• 산업(産 낳을 산 業 업 업)
인간의 생활을 경제적으로 풍요롭게 하기 위한 활동

2. 일본

→ 혼슈, 규슈, 시코쿠, 홋카이도

자연 환경	• 네 개의 큰 섬과 3,000개가 넘는 작은 섬들로 이루어짐. • 국토에 산지가 많고 화산과 지진 활동이 잦음. • 바다의 영향을 받아 습하고, 비나 눈이 많이 내림.
인문 환경	• 동부 지역의 해안가를 중심으로 대도시가 분포함. • 화산, 온천 등이 많아 관광 산업이 발달했음.

도쿄
수도이자 정치, 경제, 문화의 중심지

오키나와섬
겨울에도 온화한 기후가 나타나는 섬

3. 러시아

우랄산맥
유럽과 아시아 대륙의 경계가 되는 산맥

모스크바
러시아의 수도

시베리아 횡단 철도
세계에서 가장 긴 철도

자연 환경	• 세계에서 가장 넓은 나라로 서부에는 평원, 동부에는 산지가 많음. • 영토가 동서로 길게 뻗어 있고, 대부분의 지역에서 냉대 기후가 나타남.
인문 환경	• 대부분의 인구는 유럽과 가까운 서부 지역에 모여 있음. • 자원의 생산과 수출이 활발하고, 석유, 천연가스 등 풍부한 자원을 바탕으로 한 산업이 발달했음.

☑ **일본**

일본은 네 개의 큰 ❸ ⎡ ㅅ ⎤ (으)로 이루어져 있으며 화산, 온천 등이 많아 관광 산업이 발달했습니다.

내 교과서 살펴보기 / 천재교과서, 교학사 비상교과서, 비상교육

게이힌 공업 지역
• 원료 수입과 제품 수출에 유리하고, 노동력이 풍부한 태평양 연안을 따라 발달한 일본 최대의 공업 지역입니다.
• 도쿄, 요코하마, 가와사키를 중심으로 발달했으며 철강, 석유 화학, 자동차, 전자, 정밀 기계 산업과 첨단 산업이 발달했습니다. → 뛰어난 기술력을 바탕으로 다양한 산업이 발달했습니다.

☑ **러시아**

러시아는 세계에서 가장 넓고, 영토가 ❹ (동서 / 남북)(으)로 길게 뻗어 있어 아시아와 유럽에 걸쳐져 있습니다.

정답 ❸ 섬 ❹ 동서

개념 ③ 우리나라와 이웃 나라의 생활 모습

1. 우리나라와 중국, 일본 문화의 비슷한 점 → 세 나라는 인접한 위치에 있어서 오래전부터 서로 교류하며 영향을 주고받았습니다.

① 한자의 영향을 받아 한자어로 된 단어가 많습니다.

② 불교문화가 있어 절이나 불상의 모습이 비슷합니다.

③ 쌀밥을 주식으로 하며 식사를 할 때 젓가락을 사용합니다.

> 내 교과서 살펴보기 / **천재교육, 교학사, 금성출판사, 김영사, 동아출판, 미래엔, 비상교과서**
>
> **러시아의 문화**
> • 러시아 문자는 그리스 문자의 영향을 받았으며, 영어와 같이 대문자와 소문자가 있습니다.
> • 러시아는 우리나라와 지리적으로 가깝지만 대부분의 인구가 유럽과 가까운 서부 지역에 분포하여 유럽의 생활 모습과 비슷한 점이 많습니다.

2. 우리나라와 이웃 나라의 생활 모습 → 각 나라의 자연환경과 문화가 서로 달라서 저마다 독특한 생활 모습이 나타납니다.

① 식사 도구

대한민국	국물이 스며들지 않는 금속 젓가락을 주로 사용함.
중국	길이가 길고 끝이 뭉툭한 젓가락을 사용함. ┌ 뜨겁고 기름진 음식이 미끄러지지 않게 하기 위해서입니다.
일본	생선 가시를 바르기 편하도록 끝이 뾰족한 나무 젓가락을 사용함.
러시아	포크, 칼, 숟가락 등을 사용함.

② 새해 풍습

대한민국	어른들께 세배를 하고 떡국을 먹음.
중국	붉은색 마름모꼴 종이에 '복(福)'을 거꾸로 써 붙여 복을 기원함.
일본	일본식 떡국을 먹고, 신사나 절에 가서 한 해의 행운을 빎.
러시아	국가 연주와 불꽃놀이로 새해의 시작을 알림.

③ 전통 의상

⚠ 한복

⚠ 치파오

⚠ 기모노

⚠ 사라판

☑ 우리나라와 이웃 나라의 비슷한 점

인접한 위치에 있는 우리나라, 중국, 일본은 ❺ [ㅎ][ㅈ]의 영향을 받았다는 공통점이 있습니다.

> 표지판에 한자가 같이 표기되어 있네요?

> 일본 여행 갔을 때도 한자와 비슷한 글자를 쓰던데.

> 우리나라와 일본, 중국은 모두 한자의 영향을 받았단다.

☑ 나라별 젓가락의 특징

우리나라는 금속 젓가락, ❻(중국 / 러시아)은/는 길고 뭉툭한 젓가락, 일본은 뾰족한 젓가락을 사용합니다.

> 한국과 중국, 일본은 모두 젓가락을 사용하지만 그 모양이 서로 다르대.

> 일본은 끝이 뾰족하고, 중국은 길고 뭉툭한 젓가락을 사용하잖아~

정답 ❺ 한자 ❻ 중국

용어
사전

• 신사(神 귀신 신 社 모일 사)
일본 왕실의 조상이나 국가에 큰 공로를 세운 사람을 신으로 모신 사당

개념 다지기

11종 공통

1 다음 ㉠~㉢에 들어갈 말을 알맞게 짝 지은 것은 어느 것입니까? (   )

> 우리나라는 [㉠]쪽의 중국, [㉡]쪽의 일본, [㉢]쪽으로는 러시아와 국경을 마주하고 있습니다.

	㉠	㉡	㉢
①	동	서	남
②	동	남	북
③	서	북	동
④	서	동	북
⑤	남	동	서

11종 공통

2 중국에 대한 설명으로 알맞은 것은 어느 것입니까?
(   )

① 네 개의 큰 섬으로 이루어져 있다.
② 세계에서 영토가 가장 넓은 나라이다.
③ 서쪽으로 갈수록 해발 고도가 높아진다.
④ 대부분의 지역에서 냉대 기후가 나타난다.
⑤ 태평양 연안을 따라 게이힌 공업 지역이 발달했다.

11종 공통

3 다음에서 설명하는 중국의 주요 도시는 어디입니까?
(   )

> 동부 해안의 항구 도시로, 공업, 무역, 과학기술, 금융의 중심지입니다.

① 충칭　　　　② 광저우
③ 상하이　　　　④ 베이징
⑤ 하얼빈

11종 공통

4 다음 중 일본과 관련 있는 사진으로 알맞은 것을 찾아 기호를 쓰시오.

㉠ 　　　㉡

⌃ 시베리아 횡단 철도　　　⌃ 온천 관광

(   )

11종 공통

5 다음 러시아의 지도에서 유럽과 아시아 대륙의 경계가 되는 산맥을 찾아 쓰시오.

(   )산맥

11종 공통

6 이웃 나라의 문화와 생활 모습으로 알맞지 않은 것은 어느 것입니까? (   )

① 중국의 젓가락은 길이가 길다.
② 일본의 전통 의상은 기모노이다.
③ 일본은 불교문화의 영향을 받았다.
④ 러시아는 식사를 할 때 포크와 칼을 사용한다.
⑤ 중국, 일본, 러시아의 문자는 한자의 영향을 받았다.

6 우리나라와 다른 나라의 교류 모습

개념 체크

개념 ① 우리나라와 이웃 나라의 교류 모습

1. 우리나라와 이웃 나라의 교류

① 각 나라의 발전과 이익을 위해 교류를 합니다.
② 오늘날 교통·통신의 발달로 이웃 나라 간의 교류가 증가하고 있습니다.

2. 우리나라와 이웃 나라의 교류 사례 → 다양한 분야에서 활발하게 이루어집니다.

경제적 교류
• 물건을 수입하고 수출하는 등 무역을 함. • 전력망을 연결하여 에너지를 주고받기 위해 협력함.

▲ 우리나라와 이웃 나라의 전력망 연결

인적 교류
• 이웃 나라 사람과 결혼하여 함께 삶. • 일자리를 구하러 이웃 나라로 이동함.

우리 국민과 결혼하여 우리나라에 거주하는 사람
62,104명 중국 1위 / 14,595명 일본 3위 / 1,664명 러시아 10위
[출처: 통계청, 2021.]
▲ 국내 국적별 결혼 이민자 수(2020년)

문화적 교류
• 공부하기 위해 이웃 나라로 유학을 감. • 서로의 문화를 친숙하게 하기 위해 문화 교류 행사를 개최함.

유학생 총 153,695명 / 중국인 43.6(%) / 베트남인 24.9 / 우즈베키스탄인 5.9 / 몽골인 4.5 / 일본인 2.1 / 기타 19.0
[출처: 교육부, 2021.]
▲ 국내 외국인 유학생 비율(2020년)

정치적 교류
우리나라와 이웃 나라 대표들이 모여 다양한 문제를 논의함. → 예 정상 회담

[출처: 연합뉴스]
▲ 한·중·일 보건 장관 회의

내 교과서 살펴보기 / 천재교육, 금성출판사, 김영사, 미래엔, 비상교과서, 비상교육, 아이스크림 미디어

공동의 문제를 함께 해결하기 위한 노력 → 이웃 나라와 서로 이해하고 협력하는 태도가 필요합니다.

환경문제	황사와 미세 먼지 문제 해결을 위해 우리나라에서는 중국의 사막 지역에 나무를 심고 있음.
역사 문제	역사 왜곡을 줄이고 공존하는 미래를 지향하기 위해 한·중·일 학자들이 공동으로 역사 교과서를 집필했음.

☑ 우리나라와 이웃 나라의 경제적 교류

원활한 에너지 공급을 위해 협력하고, 다양한 물건을 수입하고 수출하는 ❶ ☐☐ 을 합니다.

☑ 우리나라와 이웃 나라의 문화적 교류

공부하기 위해 ❷ ☐☐ 을 가거나 문화 교류 행사를 통해 서로의 문화를 친숙하게 합니다.

정답 ❶ 무역 ❷ 유학

용어 사전

◦교류(交 오고갈 교 流 흐를 류)
문화나 사상 따위가 서로 통함.

개념 ② 우리나라와 관계 깊은 나라

1. 미국 → 50개의 주로 이루어져 있습니다.

자연환경	• 중서부에는 평야가 펼쳐져 있고, 서쪽에는 로키산맥이 있음. • 온대 기후, 냉대 기후, 건조 기후 등 다양한 기후가 나타남.
인문환경	• 각종 지하자원과 에너지 자원이 풍부함. • 농업, 상업, 공업, 첨단 산업 등이 골고루 발달함.
우리나라와의 관계	• 미국과 활발한 무역을 하고 있음. • 경제 분야뿐만 아니라 정치나 문화 분야에서도 긴밀한 나라임.

2. 사우디아라비아

자연환경	국토 대부분이 사막으로 이루어져 있으며, 덥고 건조함.
인문환경	• 관개 시설을 이용해 농사를 지음. • 원유가 많이 생산되어 세계 여러 나라로 원유를 수출함.
우리나라와의 관계	• 우리나라가 원유를 수입하는 대표적인 나라임. • 우리나라 기업들이 사우디아라비아에 진출해 건물이나 발전소를 건설하고 있음. 원유를 생산하는 시설 ◑

[출처: 셔터스톡]

3. 베트남

자연환경	• 산맥이 남북으로 길게 뻗어있고, 남부와 북부는 넓은 평야가 발달함. • 주로 열대 기후와 온대 기후가 나타남.
인문환경	• 벼농사에 유리한 자연환경을 이용해 쌀을 많이 수출함. • 노동력이 풍부해 섬유 산업 등의 경공업이 발달함.
우리나라와의 관계	• 우리나라와 인적, 문화적 교류가 활발함. • 우리나라 기업들이 베트남에 진출해 전자 제품 관련 공장을 세우는 등 다양한 투자를 함. 베트남과 우리나라의 무역 ◑ → 우리나라의 3대 투자국 중 하나입니다.

반도체, 디스플레이, 휴대 전화 부품 등
469억 달러
2020년 무역액과 주요 무역 품목
베트남 ──206억 달러──→ 한국
전자 제품과 부품, 의류, 신발 등

[출처: 한국 무역 협회, 2021.]

> 내 교서과 살펴보기 / **동아출판, 비상교과서, 아이스크림 미디어, 지학사**

우리나라와 관계 깊은 나라들

독일	• 우리나라가 첨단 기술 제품, 의료 물품 등을 수출함. • 우리나라가 자동차를 많이 수입하는 나라 중 하나임.
인도	우리나라와의 교류가 증가하고 있으며, 우리나라가 철강, 반도체 등을 수출함.

☑ 우리나라와 사우디아라비아의 관계

사우디아라비아는 우리나라가 원유를 **❸**(수입 / 수출)하는 대표적인 나라입니다.

지금 자동차에 넣고 있는 기름은 사우디아라비아에서 수입한 원유로 만든 거야.

생활 속에서 다른 나라와의 교류 모습이 많이 보이네요.

☑ 우리나라와 베트남의 관계

베트남은 우리나라 기업들이 많이 진출해 있고, 우리나라와 **❹** ⃞ ⃞ 자원을 많이 교류하는 나라입니다.

베트남에 우리나라 공장이 아주 많네!

베트남은 우리나라와 관계가 깊은 나라거든.

정답 ❸ 수입 ❹ 인적

용어사전

● **경공업**(輕 가벼울 경 工 만들 공 業 일 업)
부피에 비하여 무게가 가벼운 물건을 만드는 일

개념 3 우리나라와 세계 여러 나라의 교류 모습

1. 우리나라와 세계 여러 나라의 관계

나라마다 환경이 달라 서로 필요한 도움을 주고받을 수 있기 때문입니다.

① 다양한 방면에서 서로 교류하고 협력하며 상호 의존 관계를 맺고 있습니다.

② 우리나라는 필요한 자원이나 물건, 기술 등을 세계 여러 나라들과 주고받거나 협약을 체결하기도 합니다.

③ 나라 간에 활발하게 교류하며 서로에게 미치는 영향이 더욱 커지고 있습니다.

2. 우리나라가 세계 여러 나라와 교류하고 협력하는 모습 → 지리적으로 가깝지 않아도 다양한 나라들과 밀접한 관계를 맺고 있습니다.

독일	독일의 통일과 경제성장 사례를 통해 우리나라가 앞으로 나아가야 할 방향을 배우고, 상호 발전을 위해 협력함.
칠레	• 우리나라가 자유무역협정(FTA)을 처음으로 맺은 나라임. • 우리나라는 칠레산 구리와 과일을 수입하고, 칠레에 자동차와 전자 제품을 수출함.
캐나다	• 캐나다로부터 밀, 옥수수 등의 곡물을 수입함. • 우리나라와 과학 기술 혁신 협력 협정을 맺고, 과학 기술 분야의 다양한 연구를 함께 진행하고 있음.
에티오피아	• 에티오피아에서는 태권도를 배우는 사람이 늘어나고 있음. • 과거 우리나라의 6·25 전쟁 당시 도움을 준 나라로서, 춘천에서는 매년 에티오피아 참전 용사 기념행사를 개최하고 있음.
오스트레일리아	• 오스트레일리아로부터 소고기, 석탄, 철광석 등 자원을 수입함. • 자동차, 석유 화학 제품, 전자 제품 등 공업 제품을 수출함.

△ 칠레산 포도 [출처: 연합뉴스]

우리나라의 소고기 수입 (2020년 1분기 기준)

미국	228,686
오스트레일리아	158,293
뉴질랜드	17,672
멕시코	7,374
캐나다	6,032
기타	1,412

합계 419,469 단위: 톤

[출처: 한국 육류 유통 수출 협회, 2021.]

내 교과서 살펴보기 / **천재교육, 동아출판**

한류(K-Culture)

• 대한민국과 관련된 것들이 해외에서 인기를 얻는 문화 현상입니다.

• 대중가요(K-Pop)를 비롯하여 게임, 캐릭터, 음식, 미용, 출판 등 다양한 분야에서 사랑을 받고 있습니다.

• 한국 문화에 대한 관심과 함께 한국어에 대한 관심도 높아지고 있습니다.

✓ 우리나라와 여러 나라와의 관계

우리나라는 여러 나라들과 서로 교류하며 상호 **⑤** [ㅇ] [ㅈ] 관계를 맺고 있습니다.

우리나라는 지리적인 거리와 상관없이 세계 여러 나라와 교류하고 있어.

나라마다 환경이 달라서 서로 필요한 걸 주고받을 수 있겠다!

✓ 우리나라와 오스트레일리아

우리나라는 오스트레일리아로부터 소고기, **⑥**(자동차 / 철광석) 등을 수입합니다.

우리나라는 오스트레일리아에서 다양한 자원을 수입하고 있네.

대한민국에서 만든 자동차와 전자 제품이야.

오스트레일리아산 소고기와 철광석이야.

정답 ⑤ 의존 **⑥** 철광석

용어 사전

* 협약(協 화합할 협 約 맺을 약)
협상에 의하여 조약을 맺음.

개념 다지기

천재교육

1 다음 자료를 통해 알 수 있는 것은 어느 것입니까?
( )

우리 국민과 결혼하여
우리나라에 거주하는 사람

62,104명   14,595명   1,664명

중국   일본   러시아
1위   3위   10위

[출처: 통계청, 2021.]
⚠ 국내 국적별 결혼 이민자 수(2020년)

① 이웃 나라 간의 교류가 점점 줄어들고 있다.
② 우리나라는 러시아에 수출을 가장 많이 한다.
③ 우리나라와 이웃 나라는 인적 교류를 하고 있다.
④ 이웃 나라 사람과 결혼을 하는 경우는 거의 없다.
⑤ 우리나라는 이웃 나라와 물적 교류를 하지 않는다.

천재교육, 금성출판사, 김영사, 미래엔, 비상교과서,
비상교육, 아이스크림 미디어

2 나라 간의 공동의 문제에 대해 알맞게 말한 어린이를 쓰시오.

선아: 역사 왜곡 문제는 한 나라의 힘으로 해결할
수 있어.
철우: 공동의 문제를 해결하기 위해 이웃 나라와
협력할 필요는 없어.
민서: 우리나라는 미세 먼지 문제 해결을 위해
중국의 사막 지역에 나무를 심고 있어.

( )

11종 공통

3 다음과 같은 특징을 가진, 우리나라와 관계 깊은 나라를
보기 에서 찾아 ○표를 하시오.

북아메리카 대륙에 있는 50개 주로 이루어진
나라로, 각종 자원이 풍부하여 농업, 상업, 첨단
산업 등 다양한 산업이 발달한 나라입니다.

보기
• 미국   • 인도   • 베트남

천재교육, 천재교과서, 교학사, 금성출판사, 김영사, 동아출판,
미래엔, 비상교과서, 비상교육, 아이스크림 미디어

4 다음 어린이의 설명에서 □ 안에 들어갈 알맞은 말은
어느 것입니까? ( )

사우디아라비아는 우리나라와
관계 깊은 나라로, 우리나라가
□을/를 수입하는 대표적인
나라야.

① 밀   ② 원유   ③ 과일
④ 철광석   ⑤ 반도체

1
단원

진도 완료
체크

11종 공통

5 우리나라와 세계 여러 나라의 교류에 대한 설명으로
알맞지 <u>않은</u> 것은 어느 것입니까? ( )

① 상호 의존 관계를 맺고 있다.
② 지리적으로 가까운 나라들하고만 무역을 한다.
③ 우리나라는 다른 나라들과 협약을 체결하기도
한다.
④ 나라 간의 활발한 교류로 서로에게 미치는 영향이
더욱 커지고 있다.
⑤ 나라마다 환경이 달라 서로 필요한 도움을 주고
받기 위해 교류를 한다.

천재교육, 천재교과서, 금성출판사, 미래엔,
비상교과서, 비상교육, 지학사

6 다음에서 설명하는 나라는 어디입니까? ( )

• 우리나라가 처음으로 자유무역협정(FTA)을 맺은
나라입니다.
• 우리나라에 구리, 과일 등을 수출합니다.

① 영국   ② 독일   ③ 칠레
④ 러시아   ⑤ 캐나다

Step 1 단원평가

[1~5] 다음은 개념 확인 문제입니다. 물음에 답하시오.

1 일본은 (세 / 네) 개의 큰 섬과 3,000개가 넘는 작은 섬들로 이루어졌습니다.

2 세계에서 영토가 가장 넓은 나라로, 아시아와 유럽에 걸쳐 있는 나라는 어디입니까?

(   )

3 우리나라와 중국, 일본은 식사를 할 때 (젓가락 / 포크) 을/를 주로 사용한다는 점이 비슷합니다.

4 우리나라와 이웃 나라 대표들이 모여 다양한 문제를 논의하는 것은 (인적 / 정치적) 교류에 해당합니다.

5 우리나라가 소고기, 석탄, 철광석 등 다양한 자원을 수입하고 있는, 오세아니아 대륙에 속한 나라는 어디입니까? (   )

11종 공통

6 중국에 대해 알맞게 말한 어린이를 두 명 고르시오.

(,   )

① 진영: 우리나라의 북쪽에 있는 섬나라야.
② 예은: 주요 도시로는 상하이, 도쿄 등이 있어.
③ 운용: 대부분의 지역에서 냉대 기후가 나타나.
④ 희수: 세계에서 인구가 가장 많은 나라로 꼽혀.
⑤ 나현: 자원이 풍부하고 여러 가지 산업이 발달했어.

11종 공통

7 러시아와 관련 있는 사진으로 알맞지 <u>않은</u> 것은 어느 것입니까? (   )

①
[출처: 셔터스톡]
🔺 모스크바

②
[출처: 게티이미지]
🔺 우랄산맥

③
[출처: 셔터스톡]
🔺 베이징

④
🔺 시베리아 횡단 철도

11종 공통

8 일본에 대한 설명으로 알맞지 <u>않은</u> 것을 **보기**에서 찾아 기호를 쓰시오.

> **보기**
> ㉠ 우리나라의 서쪽에 있습니다.
> ㉡ 화산과 지진 활동이 잦습니다.
> ㉢ 바다의 영향을 받아 습한 기후가 나타납니다.
> ㉣ 화산, 온천 등이 많아 관광 산업이 발달했습니다.

(   )

천재교육, 천재교과서, 교학사, 동아출판

9 우리나라와 중국, 일본 문화의 비슷한 점으로 알맞은 것은 어느 것입니까? (   )

① 알파벳의 영향을 받았다.
② 빵과 스프를 주식으로 한다.
③ 사라판이라는 전통 의상을 입는다.
④ 불교문화의 영향으로 만들어진 절이 있다.
⑤ 식사를 할 때 끝이 뾰족한 젓가락을 사용한다.

천재교육, 천재교과서, 교학사, 금성출판사, 김영사, 동아출판, 비상교과서, 비상교육, 아이스크림 미디어, 지학사

1 단원

11종 공통

10 다음 ☐ 안에 들어갈 알맞은 말을 쓰시오.

> 우리나라는 물건을 수입하거나 수출하는 등의
> ☐을 통해 이웃 나라와 활발한 경제적 교류
> 를 하고 있습니다.

(   )

11종 공통

11 우리나라와 이웃 나라의 정치적 교류 사례로 알맞은
것은 어느 것입니까? (   )

① 이웃 나라에서 만들어진 드라마를 본다.
② 공부를 하기 위해 이웃 나라로 유학을 간다.
③ 이웃 나라 사람과 결혼하여 거주지를 옮긴다.
④ 우리나라 가수가 이웃 나라에 가서 공연을 한다.
⑤ 우리나라와 이웃 나라 대표가 정상 회담을 한다.

11종 공통

12 미국에 대해 알맞게 말한 어린이를 쓰시오.

> 국토가 넓고 크지만
> 지하자원이나 에너지
> 자원이 부족해.

> 농업, 상업, 공업,
> 첨단 산업 등이 골고루
> 발달한 나라야.

🔺 동준   🔺 가영

(   )

13 다음 나라에 대한 설명으로 알맞은 것은 어느 것입니까?

(   )

🔺 베트남

① 쌀을 많이 수출한다.
② 주로 한대 기후가 나타난다.
③ 노동력 부족 문제를 겪고 있다.
④ 한자의 영향을 받은 문자를 사용한다.
⑤ 우리나라와는 전혀 교류를 하지 않는다.

11종 공통

14 다음 밑줄 친 부분에 들어갈 말로 알맞은 것은 어느
것입니까? (   )

> 우리나라와 세계 여러 나라의 교류가 활발하게
> 이루어지는 까닭은 _____
> 서로 필요한 도움을 주고받을 수 있기 때문입니다.

① 나라마다 언어가 같아서
② 나라마다 기후가 같아서
③ 나라마다 환경이 달라서
④ 지역마다 인구 밀도가 달라서
⑤ 나라마다 생산하는 자원이 같아서

15 다음 지도를 보고 알 수 있는 중국의 자연환경의 특징을 쓰시오. 11종 공통

답 동쪽은 넓은 ❶ [   ]와 대도시, 서쪽에는 고원과 ❷ [   ]가 분포한다.

천재교육, 교학사, 금성출판사, 김영사, 동아출판, 미래엔, 비상교과서

16 러시아가 우리나라와 국경을 마주하고 있음에도 불구하고 유럽과 비슷한 생활 모습이 나타나는 까닭을 쓰시오.

_____

_____

11종 공통

17 다음 어린이들이 하는 말을 통해 알 수 있는 우리나라와 세계 여러 나라의 관계를 쓰시오.

지난 방학 때 부모님과 베트남 여행을 다녀왔어.

엄마와 마트에 가서 칠레산 포도를 사왔어.

우리 삼촌은 사우디아라비아에서 회사를 다니고 계셔.

_____

서술형 가이드
어려워하는 서술형 문제!
서술형 가이드를 이용하여 풀어 봐!

15 중국은 동쪽에서 서쪽으로 갈수록 해발 고도가 (높아 / 낮아)집니다.

16 러시아는 [ ][ ] 대륙의 나라들과 비슷한 생활 모습이 나타납니다.

17 우리나라는 세계 여러 나라와 (한 / 여러) 가지 분야에서 서로 교류하고 있습니다.

단원 실력 쌓기 정답 7쪽

수행평가 가이드
다양한 유형의 수행평가!
수행평가 가이드를 이용해 풀어 봐!

학습 주제 우리나라와 이웃 나라의 교류 모습

학습 목표 우리나라와 이웃 나라가 어떤 분야에서 교류하는지 알 수 있다.

[18~20] 다음은 우리나라와 이웃 나라의 교류 사례를 보여 주는 신문 기사입니다.

ㄱ | 한-러 상호 문화 교류의 해 맞아 문화 공연 열려

ㄴ | 중국과의 무역 규모 역대 최대치 기록

ㄷ | 일본 내 한국 근로자 수 전년보다 증가

ㄹ | 한·중·일 보건 장관 회의 서울에서 개최

우리나라와 이웃 나라의 교류

• 우리나라와 이웃 나라 사람들은 지리적 거리가 가까운 만큼 자주 오가며 긴밀한 관계를 맺고 있습니다.

• 이웃 나라 간에는 정치적·경제적·문화적·인적 교류 등 다양한 분야의 교류가 일어납니다.

1 단원

[진도 완료 체크]

18 위 ㉠~㉣ 중 인적 교류에 해당하는 것의 기호를 쓰시오. 천재교육, 아이스크림 미디어

(   )

19 위 ㉠, ㉡ 중 다음 사례와 같은 분야의 교류 모습을 찾아 기호를 쓰시오. 천재교육, 비상교과서, 비상교육

> 고비 사막과 러시아 동부의 청정 에너지를 에너지 수요가 많은 한국, 중국, 일본으로 공급할 수 있도록 함께 연구하고 있습니다.

(   )

20 위와 같이 오늘날 이웃 나라 간의 교류가 증가하고 있는 까닭을 쓰시오. 11종 공통

_____

_____

각 나라의 발전과 이익을 위해 이웃 나라 간의 교류를 하고 있어.

Q 배점 표시가 없는 문제는 문제당 4점입니다.

11종 공통

1 지구, 대륙 그리고 국가들

1 다음 공간 자료에 대한 설명으로 알맞지 <u>않은</u> 것은 어느 것입니까? (   )

① 세계지도이다.
② 위선과 경선이 그려져 있다.
③ 둥근 지구를 평면으로 나타낸 것이다.
④ 세계 여러 나라의 위치를 한눈에 볼 수 있다.
⑤ 땅과 바다의 크기가 실제와 비슷하게 나타나 있다.

천재교육

2 디지털 영상 지도에서 마우스 오른쪽 단추를 눌러 이용할 수 있는 기능으로 알맞은 것은 어느 것입니까?
(   )

① 출발지를 입력할 수 있다.
② 지도의 종류를 선택할 수 있다.
③ 지도를 확대하거나 축소할 수 있다.
④ 현재 지점의 위도와 경도를 알 수 있다.
⑤ 장소의 모습을 입체 영상으로 볼 수 있다.

11종 공통

3 다음에서 설명하는 대양을 쓰시오.

> 북극 주변에 있는 바다로 아시아, 유럽, 북아메리카 대륙에 둘러싸여 있습니다.

(   )

11종 공통

4 다음과 같은 경관을 볼 수 있는 대륙의 특징으로 알맞은 것은 어느 것입니까? [6점] (   )

△ 브라질의 아마존강

△ 페루의 마추픽추

① 대부분 남반구에 속해 있다.
② 가장 큰 섬인 그린란드를 포함한다.
③ 세계 인구의 절반 이상이 살고 있다.
④ 지구에서 가장 춥고 바람이 많이 분다.
⑤ 세계에서 가장 넓은 사막인 사하라 사막이 있다.

11종 공통

5 다음 대륙에 속한 나라를 모두 찾아 줄로 바르게 이으시오.

(1) 유럽 •

(2) 오세아니아 •

(3) 아시아 •

• ㉠ 영국
• ㉡ 일본
• ㉢ 중국
• ㉣ 프랑스
• ㉤ 키리바시

천재교과서, 교학사, 금성출판사, 김영사, 동아출판,
미래엔, 비상교과서, 비상교육, 지학사

6 다음 지도를 보고 ㉠, ㉡에 들어갈 말을 알맞게 짝 지은 것은 어느 것입니까? [6점] (   )

세계에서 영토 면적이 가장 넓은 나라는 [㉠] 이며, 가장 좁은 나라는 [㉡] 입니다.

	㉠	㉡
①	러시아	브라질
②	러시아	바티칸 시국
③	캐나다	알제리
④	캐나다	가이아나
⑤	오스트레일리아	인도

서술형·논술형 문제

천재교과서, 비상교과서

7 다음 나라들의 영토 모양의 공통적인 특징을 쓰시오.

[8점]

• 체코 • 레소토 • 짐바브웨 • 탄자니아

_____

_____

2 세계의 다양한 삶의 모습

11종 공통

8 세계의 기후와 관련하여 다음 (   ) 안의 알맞은 말에 ○표를 하시오.

저위도 지역에서 고위도 지역으로 갈수록 태양열이 분산되어서 기온이 (높아 / 낮아)집니다.

9 다음 질문의 답이 될 수 <u>없는</u> 것은 어느 것입니까?

(   )

열대 기후 지역에서 주로 재배하는 작물은 무엇입니까?

① 얌   ② 카사바
③ 고무   ④ 바나나
⑤ 대추야자

11종 공통

10 건조 기후 지역에 대한 설명으로 알맞은 것은 어느 것입니까? (   )

① 높은 나무나 기둥 위에 집을 짓는다.
② 강수량이 많고, 기온의 일교차가 작다.
③ 관개 시설을 설치해 농사를 짓기도 한다.
④ 초원 지역에서는 순록을 기르며 유목 생활을 한다.
⑤ 사막이 발달한 지역에서는 농사를 전혀 짓지 않는다.

11종 공통

11 다음과 같은 모습을 볼 수 있는 기후 지역은 어디입니까?

(   )

⬥ 종이를 만드는 공장

⬥ 울창한 침엽수림

① 열대 기후 지역
② 온대 기후 지역
③ 건조 기후 지역
④ 냉대 기후 지역
⑤ 한대 기후 지역

📚 서술형·논술형 문제

11종 공통

12 다음은 어떤 기후에 대한 설명입니다. [총 10점]

• 높은 산지가 있는 지역에서 나타납니다.
• 해발 고도가 높을수록 기온이 점점 낮아집니다.

(1) 위에서 설명하는 기후를 쓰시오. [3점]

( ) 기후

(2) 위 (1)번 답의 기후 지역의 생활 모습을 한 가지만 쓰시오. [7점]

_____

_____

천재교과서, 금성출판사, 김영사, 동아출판, 비상교과서,
비상교육, 아이스크림 미디어, 지학사

13 열대 기후 지역에서 다음과 같은 집을 짓고 생활하는 까닭은 무엇입니까? ( )

① 더위와 해충을 막기 위해
② 모래바람이 자주 불기 때문에
③ 이동 생활을 많이 하기 때문에
④ 유럽 문화가 많이 유입되었기 때문에
⑤ 얼었던 땅이 녹을 때 건물이 무너지지 않게 하기 위해

11종 공통

14 세계 여러 나라의 다양한 생활 모습으로 알맞지 않은 것을 보기 에서 두 가지 찾아 기호를 쓰시오. [6점]

보기
㉠ 영국의 자동차 운전석은 왼쪽에 있습니다.
㉡ 힌두교를 믿는 사람들은 돼지고기를 먹지 않습니다.
㉢ 에스파냐에는 점심 식사 후 낮잠을 자는 풍습이 있습니다.
㉣ 이슬람교를 믿는 사람들은 라마단 기간이 되면 낮에 물과 음식을 먹지 않습니다.

(,)

3 우리나라와 가까운 나라들

[15~16] 다음은 우리나라와 이웃한 나라입니다.

11종 공통

15 위 나라의 이름을 쓰시오.

( )

11종 공통

16 위 나라에 대한 설명으로 알맞은 것은 어느 것입니까? ( )

① 우리나라의 남쪽에 있다.
② 영토가 남북으로 길게 뻗어 있다.
③ 대부분의 인구가 동부 지역에 모여 있다.
④ 대부분의 지역에서 열대 기후가 나타난다.
⑤ 풍부한 자원을 바탕으로 한 산업이 발달했다.

천재교과서, 금성출판사, 김영사, 동아출판, 미래엔, 지학사

17 중국의 전통 의상으로 알맞은 것은 어느 것입니까?

( )

①

⚠ 기모노

② ⚠ 한복

③ ⚠ 사라판

④ ⚠ 치파오

11종 공통

18 다음은 우리나라와 이웃 나라가 어느 분야에서 교류하는 모습인지 보기 에서 찾아 쓰시오.

The 12th Tripartite Health Ministers' Meeting
15th December 2019 Seoul, Korea
Press Conference

⚠ 한·중·일 보건 장관 회의

> **보기**
> • 문화   • 정치   • 경제

( )

천재교육, 천재교과서, 교학사, 금성출판사, 김영사,
동아출판, 미래엔, 비상교과서, 비상교육, 아이스크림 미디어

📕 서술형·논술형 문제

19 다음 지도에서 색칠된 나라와 우리나라와의 관계를 쓰시오. [8점]

_____

_____

천재교육, 천재교과서, 교학사, 김영사, 동아출판, 미래엔, 비상교육

20 다음 ☐ 안에 공통으로 들어갈 나라는 어디입니까?

( )

우리나라의 소고기 수입 (2020년 1분기 기준)

미국	228,686
☐	158,293
뉴질랜드	17,672
멕시코	7,374
캐나다	6,032
기타	1,412

합계 419,469

단위: 톤

[출처: 한국 육류 유통 수출 협회, 2021.]

우리나라는 ☐ 로부터 소고기, 석탄, 철광석, 알루미늄과 같은 자원을 수입하고, 자동차, 석유 화학 제품, 전자 제품 등의 공업 제품을 수출하고 있습니다.

① 칠레　　　　　　② 베트남
③ 이탈리아　　　　④ 에티오피아
⑤ 오스트레일리아

기후에 따른 사람들의 생활 모습

기후

| 기운 기 氣 | 기후 후 候 |

한 지역에서 여러 해에 걸쳐 일정하게 나타나는 평균적인 날씨

한대 기후

⬈ 순록을 기르는 유목 생활을 함.

냉대 기후

⬈ 펄프 공업이 발달함.

온대 기후

⬈ 지중해 주변 지역에서는 올리브를 많이 재배함.

열대 기후

⬈ 바나나 등의 열대 작물을 대규모로 재배함.

건조 기후

⬈ 오아시스 주변에서 농사를 지음.

이웃 나라의 자연환경과 인문환경

러시아

⬆ 유럽과 아시아 대륙의 경계가 되는 우랄산맥

⬆ 세계 여러 나라에 수출되는 천연가스

러 시 아

중국

대한민국

일본

우리나라는 중국, 일본, 러시아와 국경을 마주하고 있습니다.

국경 | 나라 국 國 | 지경 경 境 |
나라와 나라의 영역을 가르는 경계

중국

일본

⬆ 동부 지역 바닷가의 주요 항구 도시인 상하이

⬆ 화산 활동의 영향으로 발달한 온천

⬇ 중국의 대표 건축물인 만리장성 [출처: 셔터스톡]

🌸 연관 학습 안내

초등 5학년 1학기	초등 6학년	중학교
우리 국토의 영역 우리나라의 영역을 알아보고 우리 국토를 소중하게 생각해요.	통일 한국의 미래 독도를 지키려는 노력을 알아보고 통일 한국의 모습을 그려 보아요.	우리나라의 영역 독도가 지닌 중요성을 파악하고, 독도를 지키려는 노력을 실천해요.

만화로 단원 미리 보기

통일 한국의 미래와 지구촌의 평화

2

개념 ① 독도의 위치와 중요성

1. 독도의 위치

① 우리나라 영토의 동쪽 끝에 있는 섬으로, 동도와 서도 두 개의 큰 섬과 89개의 작은 바위섬으로 이루어져 있습니다.

② 대략 북위 37°, 동경 132°에 있으며 행정구역상 경상북도 울릉군 울릉읍에 속합니다.

③ 동해상에서 태평양으로 이어지는 선박의 *항로뿐만 아니라 항공 교통과 방어 기지로서도 중요한 위치에 있습니다.

2. 울릉도와 일본 오키섬에서 독도까지의 거리 비교: 울릉도에서 독도까지의 거리는 87.4km이고, 일본의 오키섬에서 독도까지의 거리는 157.5km입니다.

➡ **독도는 일본의 오키섬보다 울릉도와 더 가깝습니다.**

   ↳ 울릉도에서 배를 타면 독도까지 1시간 30분 정도 걸리며, 날씨가 맑은 날에는 울릉도에서 독도를 맨눈으로 볼 수 있습니다.

내 교과서 살펴보기 / **아이스크림 미디어, 지학사**

독도의 옛 이름
• 강치(가지어)가 많이 산다고 해서 붙여진 '가지도'
• 울릉도에 사는 사람들이 불렀던 '돌섬'의 사투리인 '독섬'
• 옛날 울릉도에 있었던 우산국이라는 나라에서 비롯된 '우산도'

☑ **독도의 위치**

독도는 우리나라 영토의 ❶ [ㄷ]쪽 끝에 있는 섬입니다.

☑ **독도와 주변 섬과의 거리 비교**

독도는 일본의 오키섬보다 울릉도와 더 ❷(멉니다 / 가깝습니다).

정답 ❶ 동 ❷ 가깝습니다

용어
사전

*항로(航 배 항 路 길 로)
선박이 지나다니는 바닷길

3. 독도의 자연환경과 중요성

① 독도는 화산 활동으로 생긴 화산섬입니다. 예 섬기린초, 독도 사철나무, 괭이갈매기

② 독도는 독특한 지형과 모습을 지녔으며, 여러 종류의 동식물이 서식하는 생태계의 보고입니다. ➡ 우리나라는 독도를 천연기념물 제336호로 지정해 보호하고 있습니다.

△ 탕건봉

△ 코끼리 바위

△ 천장굴

③ 독도 주변 바다는 차가운 바닷물과 따뜻한 바닷물이 만나는 곳으로, 먹이가 풍부해 여러 해양 생물이 살기 좋은 환경입니다.
└ 조경 수역

④ 독도 주변 바다에는 메탄 하이드레이트, 해양 심층수 등의 자원이 많아 경제적 가치가 높습니다.
└ 깊은 바닷속에 있는 물로, 미네랄과 같은 영양소가 풍부하고 깨끗함.

> **내 교과서 살펴보기 / 동아출판, 미래엔, 아이스크림 미디어, 지학사**
>
> **독도의 기후** → 독도의 연평균 기온은 약 12℃, 연평균 강수량은 약 1,383mm입니다.
> • 독도는 동해의 영향으로 기온이 온화합니다.
> • 독도는 안개가 자주 끼고 흐린 날이 많으며, 겨울에 눈이 많이 내립니다.

개념2 독도에 대한 옛 기록과 지도

1. 우리나라의 옛 기록과 지도

→ 우리나라 옛 지도 중 독도가 그려진 가장 오래된 지도입니다.

『세종실록』「지리지」 (1454년)	『신증동국여지승람』 「팔도총도」(1531년)	「대한 제국 칙령 제41호」 (1900년)
[출처: 서울대학교 규장각 한국학 연구원]	[출처: 서울대학교 규장각 한국학 연구원]	[출처: 서울대학교 규장각 한국학 연구원]
울릉도(무릉)와 독도(우산)가 강원도에 속한 섬이라고 기록했음.	동해에 울릉도와 독도(우산도) 두 섬을 함께 그렸음.	독도(석도)를 울릉도(울도군) 관할로 두었음.

☑ 독도의 자연환경

독도는 여러 종류의 동식물이 서식하는 ❸ [ㅅ][ㅌ][ㄱ] 의 보고입니다.

☑ 독도의 자원

독도 주변 바다의 밑바닥에는 메탄 ❹ [ㅎ][ㅇ][ㄷ][ㄹ][ㅇ][ㅌ] 가 묻혀 있습니다.

정답 ❸ 생태계 ❹ 하이드레이트

용어사전

• **메탄 하이드레이트**
천연가스와 물이 결합한 고체 에너지 물질로, 불을 붙이면 타는 성질이 있음.

• **관할**(管 주관할 관 轄 다스릴 할)
권한을 가지고 통제하거나 지배하는 범위

2단원

개념 알기

2. 다른 나라의 옛 기록과 지도

「삼국접양지도」 (1785년)	일본의 지리학자가 그린 지도로, 울릉도와 독도를 우리나라와 같은 노란색으로 칠하고 '조선의 것'이라고 썼음.
「태정관 지령」 (1877년)	일본 정부가 울릉도(죽도)와 독도(일도)가 일본 영토가 아니라고 지시를 내렸음.
「대일본전도」 (1877년)	일본이 공식적으로 만든 지도로, 주변 섬들을 포함해 일본 영토를 자세히 그렸지만 독도는 나타나 있지 않음.
「연합국 최고 사령관 각서 제677호」(1946년)	독도를 일본의 관할 지역에서 제외한다는 내용을 발표하고, 부속 지도에서 독도를 우리나라의 영토로 표시했음.

개념 3 독도를 지키기 위한 노력

1. 독도를 지키기 위한 옛날 사람들의 노력

① 신라 시대에 이사부가 우산국을 정복했다는 기록이 있습니다.
② 조선 시대에 안용복이 독도 주변에서 어업을 하는 일본 어부들을 쫓아내고 독도가 우리나라 땅임을 확인받았다는 기록이 있습니다.

> **내 교과서 살펴보기 / 천재교과서, 동아출판, 비상교과서, 지학사**
>
> **독도를 지키기 위해 노력한 사람들**
> • 독도 의용 수비대: 6·25 전쟁 당시 울릉도의 청년들이 의용 수비대를 조직해 혼란을 틈타 독도를 불법 침범하는 일본을 여러 차례 막아 냈습니다.
> • 최종덕: 독도 최초의 주민으로, 1981년 독도로 주민 등록을 옮긴 후 가족과 함께 독도에 살며 독도가 우리나라 사람이 사는 우리나라 영토임을 알리는 데 큰 역할을 했습니다.

2. 독도를 지키기 위한 오늘날의 노력 → 우리는 독도를 알리기 위해 홍보 포스터를 만들거나 독도와 관련된 캐릭터를 만들 수 있습니다.

정부	• 독도와 관련한 각종 법령을 시행함. • 독도에 경찰이 머무르게 하여 독도를 지키도록 함. • 독도에 거주하는 사람들을 위한 주민 숙소, 등대 등의 시설을 설치함. • 외교부에서는 독도 누리집을 만들어 독도에 관한 자료를 제공하고 있음.
민간단체	독도를 세계에 알리고, 독도를 잘못 소개한 정보나 자료를 찾아 수정을 요구함. 예 사이버 외교 사절단 반크 → 전 세계에 대한민국의 해양 영토를 올바르게 알리고자 영문으로 '한국 해양 지도'를 제작해 배포했습니다.

[출처: 연합뉴스]
🔺 독도에 설치된 등대

개념 체크

☑ 독도에 대한 옛 기록

일본이 1877년 공식적으로 만든 지도인 「대일본전도」에는 독도가 나타나 ❺(있습니다 / 있지 않습니다).

> 아무리 찾아봐도 독도가 없잖아. 왜 자꾸 자기네 땅이었다고 우기는 거야?

☑ 독도를 지키기 위한 노력

신라 시대에 ❻[ㅇ][ㅅ][ㅂ]가 우산국을 정복했다는 기록이 있습니다.

> 나는 신라 시대의 이사부! 우산국을 정복했지!

정답 ❺ 있지 않습니다 ❻ 이사부

용어 사전

• 정복(征 칠 정 服 입을 복)
  다른 나라나 민족을 무력으로 복종시키는 것
• 침범(侵 침노할 침 犯 범할 범)
  남의 영토나 권리, 재산 등을 빼앗는 것

개념 다지기

1 다음에서 설명하는 우리나라 영토의 이름을 쓰시오.

> • 우리나라 영토의 동쪽 끝에 있는 섬입니다.
> • 동도와 서도 두 개의 큰 섬과 89개의 작은 바위 섬으로 이루어져 있습니다.

(   )

2 다음 위도와 경도를 이용한 독도의 위치에서 ㉠, ㉡에 들어갈 말이 알맞게 짝 지어진 것은 어느 것입니까?
(   )

> 독도는 대략 ㉠ 37°, ㉡ 132°에 있습니다.

	㉠	㉡		㉠	㉡
①	북위	동경	②	남위	동경
③	북위	서경	④	적도	서경
⑤	남위	서경			

3 다음 동식물에 대한 설명으로 알맞은 것에 ○표를 하시오.

> • 섬기린초   • 괭이갈매기   • 독도 사철나무

(1) 독도에서 볼 수 있는 동식물입니다. (   )
(2) 과거에 독도에서 살았지만 지금은 볼 수 없습니다.
(   )

4 독도에서 볼 수 있는 각 지형을 찾아 바르게 줄로 이으시오.

(1) 천장굴   •   • ㉠

(2) 탕건봉   •   • ㉡

(3) 코끼리 바위   •   • ㉢

5 울릉도(무릉)와 독도(우산)가 강원도에 속한 섬이라고 적힌 우리나라의 옛 기록은 무엇입니까? (   )

① 「대일본전도」
② 「태정관 지령」
③ 『세종실록』 「지리지」
④ 「대한 제국 칙령 제41호」
⑤ 『신증동국여지승람』 「팔도총도」

6 독도를 지키기 위해 다음과 같은 일을 했던 사람은 누구입니까? (   )

> 조선 시대에 독도 주변에서 어업을 하는 일본 어부들을 쫓아내고 독도가 우리나라 땅임을 확인 받았습니다.

① 이사부   ② 안용복
③ 최종덕   ④ 독도 의용 수비대
⑤ 사이버 외교 사절단 반크

개념 알기

개념❶ 남북통일의 필요성

1. 우리나라의 상황

① 광복 이후 38도선을 경계로 대한민국 정부와 북한 정권이 각각 수립되었습니다.

② 6·25 전쟁을 겪으면서 분단이 더욱 굳어졌습니다.

③ 그로부터 70여 년의 시간이 흐르면서 남한과 북한은 여러 가지 어려움을 겪고 있습니다.

△ 휴전선 부근을 경비하고 있는 우리나라 군인 [출처: 뉴스뱅크]

2. 남북 분단의 문제점

이산가족 문제	분단이 지속되면서 이산가족이 오랫동안 만나지 못하고 있음.
문화의 차이 발생	언어와 생활 모습 등 남북한 문화의 차이가 더욱 벌어지고 있음.
경제적 손실	군사적으로 남북한 모두 막대한 국방비를 부담하고 있음.
전쟁에 대한 불안감	주변 국가에 전쟁에 대한 불안감을 조성해 세계 평화에 부정적 영향을 미침.

> 내 교과서 살펴보기 / 천재교과서, 동아출판, 비상교과서, 비상교육, 아이스크림 미디어

같은 의미를 가진 남북한의 언어

남한	날씨	팝콘	빙수	도시락	단짝	이해하다
북한	날거리	강냉이튀기	단얼음	곽밥	딱친구	료해하다

3. 남북통일이 필요한 까닭

이산가족 문제 해결	남북한이 통일을 하면 이산가족의 아픔을 치유할 수 있음.
민족의 동질성 회복	• 남북 간의 문화적 차이를 극복해 민족의 동질성을 회복함. • 남북한이 힘을 합쳐 역사 유적지를 관리하고 전통문화를 함께 발전시킬 수 있음.
경제 성장	• 분단에 의한 국방비와 경제적 비용을 줄일 수 있음. • 북한의 풍부한 자원, 남한의 앞선 기술과 자본을 결합해 경제가 성장할 수 있음.
세계 평화에 이바지	분단국가라는 불안감을 해소해 세계 평화에 이바지함.

국방비가 줄어들면 남은 비용을 국민의 삶의 질을 높이는 데 사용할 수 있습니다.

☑ **남북 분단의 문제점**

남북한의 분단이 오랜 시간 지속되면서 ❶⬜⬜⬜⬜이 서로 만나지 못하고 있습니다.

갑자기 헤어져서 몇십 년 동안 만나지 못했다니 너무 슬퍼.

으앙~ 훌쩍

☑ **남북통일이 필요한 까닭**

통일이 되면 분단에 의해 발생하는 ❷⬜⬜⬜와 경제적 비용을 줄일 수 있습니다.

통일이 되니까 국방비가 줄어서 돈이 남아. 이 돈을 국민들의 삶의 질 향상에 쓸 수 있겠어!

2040년

정답 ❶ 이산가족 ❷ 국방비

용어 사전

•**동질성**(同 같을 동 質 바탕 질 性 성품 성) 사람이 똑같이 가지고 있는 성질이나 특성

개념② 남북통일을 위한 노력

1. 통일을 위한 정치적 노력

7·4 남북 공동 성명 (1972년)	• 남북 정치 교류의 시작이 되었음. • 최초로 통일에 관하여 합의하고 발표했음.
남북 기본 합의서 채택 (1991년)	남북 화해, 교류, 협력 등의 내용이 담긴 남북 기본 합의서를 채택했음.
6·15 남북 공동 선언 (2000년)	남북한 정상이 만나 회담 후 남북 간 교류 활성화와 통일 방안에 관해 발표했음. → 남북 정상은 2000년, 2007년, 2018년에 만났습니다.

> [내 교과서 살펴보기 / 동아출판]
>
> **판문점 선언(2018년)의 주요 내용**
> • 군사적 긴장 상태를 완화하고 전쟁의 위험을 해소하기 위해 노력한다.
> • 남북 관계의 전면적이며 획기적인 개선 및 발전으로 공동 번영과 자주 통일을 앞당긴다.

중요 2. 통일을 위한 경제적 노력

금강산 관광(1998년)	2008년까지 10여 년 동안 금강산 관광이 운영되었음.
경의선 및 동해선 철도·도로 연결 착공식(2002년)	끊어진 철도와 도로를 연결하고 낡은 시설을 개선하려는 노력을 계속하고 있음.
개성 공업 지구 운영 (2005년)	남한의 자본과 기술력에 북한의 노동력이 결합한 경제 협력 사례로, 2016년까지 운영되었음.

3. 통일을 위한 사회·문화적 노력 → 평창 동계 올림픽 대회에서 남북한 선수가 함께 입장하기도 했습니다.

첫 남북 이산가족 상봉 (1985년)	서울과 평양에서 첫 남북 이산가족이 만난 이후 2018년까지 28차례 직접 혹은 화상으로 만났음.
남북 평화 협력 합동 공연 (2018년)	남북한 예술단이 함께 한반도의 평화를 기원하는 음악회와 공연을 했음.

[출처: 연합뉴스]
△ 6·15 남북 공동 선언

[출처: 연합뉴스]
△ 금강산 관광

[출처: 연합뉴스]
△ 남북 이산가족 상봉

> 개념 체크

☑ **통일을 위한 정치적 노력**

7·4 남북 ❸ⓒⓒⓒⓒ에서 최초로 통일에 관하여 합의하고 발표했습니다.

최초로 통일에 관해 합의한 7·4 남북 공동 성명이네.

저 공동 성명이 남북 정치 교류의 시작이었대.

☑ **통일을 위한 경제적 노력**

1998년부터 10여 년 동안 남북한 간에 ❹ⓒⓒⓒ 관광이 운영되었습니다.

우리나라의 산은 아름다워! 금강산은 얼마나 아름다울까? 지금은 못 가게 돼서 아쉬워.

정답 ❸ 공동 성명 ❹ 금강산

용어사전

• 착공(着 붙을 착 工 장인 공)
  공사를 시작함.
• 상봉(相 서로 상 逢 만날 봉)
  서로 만남.

개념 ③ 통일 한국의 모습

1. 통일 한국의 미래상

① 세계의 평화와 발전을 이끕니다.

② 이산가족이 서로 만나고 고향에 갈 수 있습니다.

③ 고구려와 발해의 역사 유적지를 방문할 수 있습니다.

④ 국토의 자원을 효율적으로 활용해 경제가 성장합니다. → 남한의 기술과 북한의 지하자원을 활용할 수 있습니다.

⑤ 시베리아 횡단 열차를 타고 유럽으로 여행을 갈 수 있습니다.

2. 통일 한국의 모습 상상하기 예 통일 지도

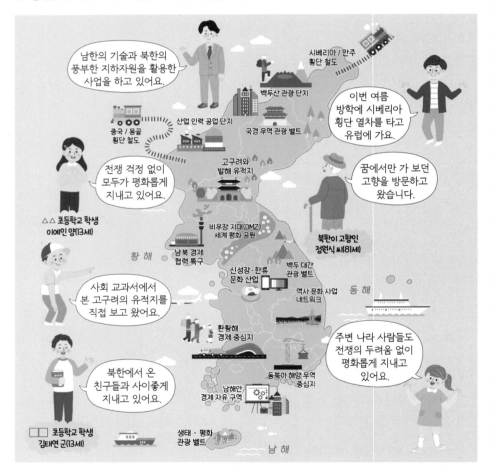

내 교과서 살펴보기 / 천재교육, 천재교과서, 교학사, 금성출판사, 김영사, 동아출판, 미래엔, 비상교육

비무장 지대(DMZ)

• 남북한의 군사적 충돌을 막기 위해 군사 시설이나 인원을 배치하지 않은 지역입니다.

• 휴전선으로부터 남북으로 각각 2km씩 총 4km입니다.

• 오랫동안 사람의 발길이 닿지 않은 자연 그대로의 생태 환경을 지닌 지역이자 통일의 꿈을 품은 지역입니다.

[출처: 뉴스뱅크]

개념 체크

☑ 통일 한국의 모습

통일이 되면 한국은 국토의 자원을 효율적으로 활용해 ❺ [ㄱ][ㅈ]가 더욱 성장할 수 있게 됩니다.

☑ 통일의 좋은 점

통일이 되면 육로 교통이 아시아를 넘어 ❻ [ㅇ][ㄹ]까지 연결됩니다.

정답 ❺ 경제 ❻ 유럽

용어 사전

• 횡단(橫 가로 횡 斷 끊을 단)
대륙이나 대양 등을 동서의 방향으로 가로 건넘.

• 생태(生 날 생 態 모양 태)
생물이 살아가는 모양이나 상태

개념 다지기

1 다음 ☐ 안에 들어갈 알맞은 말을 쓰시오.

11종 공통

> 우리나라는 광복 이후 ☐☐☐을 경계로 대한민국 정부와 북한 정권이 각각 수립되면서 남북이 분단되었습니다.

(   )

2 오늘날 남북 분단의 문제점을 잘못 말한 어린이를 쓰시오.

11종 공통

> 현지: 남북한 모두 경제적으로 손실이 커.
> 민재: 남북한 문화의 차이가 사라지고 있어.
> 선우: 전쟁에 대한 불안감이 조성되고 있어.
> 누리: 이산가족이 오랫동안 만나지 못하고 있어.

(   )

3 남북통일이 필요한 까닭으로 알맞은 것을 두 가지 고르시오. (,   )

11종 공통

① 더 많은 국방비를 쓸 수 있다.
② 민족의 동질성을 회복할 수 있다.
③ 이산가족 문제를 해결할 수 있다.
④ 전 세계에 강력한 군사력을 자랑할 수 있다.
⑤ 항공과 선박을 이용해 전 세계로 갈 수 있다.

4 다음 ☐ 안에 들어갈 말로 알맞은 것은 어느 것입니까?

11종 공통

(   )

> 남북 정치 교류의 시작이었던 ☐☐☐에서는 최초로 통일에 관하여 합의하고 발표했습니다.

① 3·9 남북 공동 성명
② 7·4 남북 공동 성명
③ 6·15 남북 공동 선언
④ 9·20 남북 공동 선언
⑤ 12·13 남북 기본 합의서 채택

5 통일을 위한 사회·문화적 노력으로 알맞은 것을 보기에서 찾아 기호를 쓰시오.

11종 공통

진도 완료 체크

> **보기**
> ㉠ 남북 이산가족 상봉
> ㉡ 남북 기본 합의서 채택
> ㉢ 경의선 및 동해선 철도·도로 연결 착공

(   )

6 다음 ☐ 안에 들어갈 지역으로 알맞은 곳은 어디입니까?

11종 공통

(   )

[출처: 연합뉴스]

> 통일을 위한 남북의 노력 중 ☐☐ 공업 지구는 남한의 자본과 기술력에 북한의 노동력이 결합했던 경제 협력 사례입니다.

① 원산   ② 평양   ③ 개성
④ 신의주   ⑤ 금강산

Step ① 단원평가

[1~5] 다음은 개념 확인 문제입니다. 물음에 답하시오.

1 독도와의 거리가 더 가까운 곳은 (우리나라의 울릉도 / 일본의 오키섬)입니다.

2 독도는 (화산 / 지진) 활동으로 만들어진 섬입니다.

3 신라 시대에 (안용복 / 이사부)이/가 우산국을 정복했다는 기록이 있습니다.

4 남북 분단이 지속되면서 오랜 세월 동안 가족과 만나지 못하고 있는 사람들은 누구입니까?

( )

5 2018년에 있었던 남북 평화 협력 합동 공연은 통일을 위한 (경제 / 사회·문화)적 노력입니다.

11종 공통

6 독도에 대한 설명으로 알맞지 <u>않은</u> 것은 어느 것입니까?
( )

① 우리나라의 서쪽 끝에 있다.
② 대략 북위 37°, 동경 132°에 있다.
③ 선박의 항로로서 중요한 역할을 한다.
④ 두 개의 큰 섬과 작은 바위섬들로 이루어져 있다.
⑤ 맑은 날에는 울릉도에서 독도를 맨눈으로 볼 수 있다.

11종 공통

7 독도의 자연환경에 대한 설명으로 알맞지 <u>않은</u> 것은 어느 것입니까? ( )

① 독특한 지형과 모습을 지니고 있다.
② 해양 생물의 먹이가 풍부한 환경이다.
③ 주변 바다 밑바닥에는 석유가 묻혀 있다.
④ 독도 사철나무, 섬기린초 등을 볼 수 있다.
⑤ 독도 주변 바다는 조경 수역을 형성하고 있다.

동아출판, 미래엔, 아이스크림 미디어, 지학사

8 독도의 기후에 대해 바르게 말한 어린이를 쓰시오.

미진: 맑은 날이 많아.
은영: 겨울에는 눈이 많이 내려.
세현: 동해의 영향으로 늘 추운 편이야.

( )

11종 공통

9 1531년 동해에 울릉도와 독도를 함께 그려 제작된 오른쪽 지도의 이름은 무엇입니까?
( )

① 「대일본전도」
② 「태정관 지령」
③ 『세종실록』「지리지」
④ 「대한 제국 칙령 제41호」
⑤ 『신증동국여지승람』「팔도총도」

11종 공통

10 사이버 외교 사절단 반크가 독도를 지키기 위해 주로 하는 활동으로 알맞은 것은 어느 것입니까? (   )

① 독도의 어종을 연구한다.
② 독도 영해와 영공을 수호한다.
③ 독도에 머무르며 독도를 지킨다.
④ 독도를 잘못 소개한 자료를 바로잡는다.
⑤ 독도를 천연기념물로 지정하기 위한 캠페인을 한다.

11종 공통

11 다음 이야기와 관련된 남북 분단의 문제점은 무엇입니까? (   )

> 민서: 우리 반에는 북한에서 온 친구가 있어요. 이야기를 나누다 보면 다른 언어를 사용하는 것처럼 소통이 어려울 때가 있어 안타까워요.

① 이산가족 문제
② 경제적 손실 발생
③ 문화의 차이 발생
④ 전쟁에 대한 불안감
⑤ 세계 평화에 부정적인 영향

11종 공통

12 다음은 남북 통일을 위한 정치적 노력입니다. 일어난 순서대로 기호를 쓰시오.

> ㉠ 7·4 남북 공동 성명
> ㉡ 6·15 남북 공동 선언
> ㉢ 남북 기본 합의서 채택

(   ) → (   ) → (   )

11종 공통

13 다음 설명과 관련하여 남북이 통일을 위해 기울인 노력은 어느 것입니까? (   )

> 남과 북은 끊어진 육로를 연결하고 낡은 시설을 개선하려는 노력을 계속하고 있습니다.

①
🔺 금강산 관광

②
🔺 경의선 및 동해선 철도·도로 연결 착공식

③
🔺 남북 이산가족 상봉

④
🔺 개성 공업 지구 운영

천재교육, 천재교과서, 교학사, 금성출판사, 김영사, 동아출판, 미래엔, 비상교육

14 다음 지역에 대한 설명으로 알맞지 <u>않은</u> 것은 어느 것입니까? (   )

🔺 비무장 지대(DMZ)

① 군사 시설이 배치되지 않았다.
② 자연 그대로의 생태 환경을 지니고 있다.
③ 오랫동안 사람의 발길이 닿지 않은 지역이다.
④ 남북한의 군사적 충돌을 막기 위해 설치했다.
⑤ 휴전선으로부터 남북으로 각각 20km씩 총 40km이다.

15 다음은 독도의 자연환경에 대해 조사한 내용입니다.

11종 공통

| 독도의 자연환경 | 검색 |

- 독도는 독특한 지형과 모습을 지니고 있다.
- 독도는 여러 종류의 동식물이 서식하는 생태계의 보고이다.
- 우리나라는 독도를 _____ ㉠

(1) 위 밑줄 친 부분에 해당하는, 독도에서 볼 수 있는 동식물을 한 가지만 쓰시오. (   )

(2) 위 ㉠에 들어갈 알맞은 내용을 쓰시오.

답 [   ] 제336호로 지정해 보호하고 있다.

천재교과서, 동아출판, 비상교과서, 비상교육, 아이스크림 미디어

16 다음 남북한의 언어를 비교한 자료와 관련하여 통일이 필요한 까닭을 쓰시오.

남한	북한	남한	북한
팝콘	강냉이튀기	도시락	곽밥
날씨	날거리	단짝	딱친구
빙수	단얼음	이해하다	료해하다

_____

_____

17 통일 이후 나타날 한국의 미래상을 한 가지만 쓰시오.

11종 공통

_____

_____

15 (1) 독도에서는 섬기린초, 독도 사철나무, (괭이갈매기 / 홍학) 등을 볼 수 있습니다.

(2) 독도는 화산 활동으로 생긴 [ ][ ][ ](으)로 다양한 지형과 지질학적 가치를 지니고 있습니다.

16 오늘날에는 남북한의 문화 차이로 인해 서로 간의 소통이 (쉬워지고 / 어려워지고) 있습니다.

17 통일이 되면 남한의 기술과 북한의 (자본 / 지하자원)을 활용하여 경제 성장을 이룰 수 있게 됩니다.

단원 **실력 쌓기** 정답 11쪽

수행평가 가이드
다양한 유형의 수행평가!
수행평가 가이드를 이용해 풀어 봐!

학습 주제 독도의 위치와 중요성

학습 목표 독도의 특징과 중요성을 알 수 있다.

[18~20] 다음은 우리나라의 영토 중 한 지역을 나타낸 자료입니다.

18 우리나라 동쪽 끝에 있는 위 섬의 이름을 쓰시오. 11종 공통

( )

독도의 지형적 특징

• 독도는 동도와 서도 두 개의 큰 섬과 89개의 작은 바위섬으로 이루어져 있습니다.

• 독도는 대략 북위 37°, 동경 132°에 있습니다.

19 위 섬의 위치를 알맞게 말한 어린이를 쓰시오. 천재교육, 동아출판, 미래엔, 비상교과서, 비상교육

민정: 남해의 한가운데에 자리잡고 있어.
지윤: 행정구역상 경상북도 울릉군 울릉읍에 속해.

( )

20 위 섬이 위치적으로 중요한 까닭을 쓰시오. 11종 공통

_____

_____

동해는 태평양과 이어져.

개념
알기

2. ❷ 지구촌의 평화와 발전 (1)

개념 ① 지구촌 갈등

1. 지구촌의 다양한 갈등 → 지구촌 갈등은 한 가지 원인이 아니라 여러 가지 원인이 복합적으로 얽혀서 발생합니다.

❶ 이스라엘– 팔레스타인 분쟁
❷ 시리아 내전
북극해
북아일랜드 분쟁
보스니아 분쟁
에스파냐 분리주의 분쟁 (카탈루냐)
리비아 내전
카슈미르 분쟁
센카쿠 열도 (댜오위다오) 분쟁
동해
대서양
말리 분쟁
이스라엘– 팔레스타인 분쟁
아프가니스탄 분쟁
미얀마 분쟁
남중국해 분쟁
맥시코 분쟁
나이지리아 분쟁
에티오피아 내전
소말리아 내전
태평양
콜롬비아 분쟁
❹ 카슈미르 분리 분쟁
인도양
❸ 에티오피아 내전
❺ 포클랜드 분쟁
★ 분쟁 지역
0   2,000 km
포클랜드 분쟁
(한국 국방 연구원, 2021.)

❶ 이스라엘 – 팔레스타인 분쟁 → 이스라엘 사람들은 유대교를 믿고 팔레스타인 사람들은 이슬람교를 믿기 때문에 서로 종교가 달라 가치관이 다릅니다.

관련 나라	이스라엘, 팔레스타인
갈등 원인	1948년 유대인이 오래전 조상들이 살던 곳이라며 팔레스타인 지역에 이스라엘을 건국했음. ➡ 팔레스타인 사람들이 영토를 되찾기 위해 저항하며 분쟁이 발생했음.
상황	이스라엘과 팔레스타인뿐 아니라 여러 나라가 얽혀 위험한 상황이 계속되고 있음.

지중해
요르단강 서안지구
팔레스타인 자치구
예루살렘
가자지구
이스라엘
요르단
0   40 km

❷ 시리아 내전

관련 나라	시리아
갈등 원인	대통령의 독재 정치와 종교 문제 때문에 내전이 발생했음.
상황	10년 넘게 계속되는 내전으로 도시는 폐허가 되었고, 많은 사람이 다치거나 죽었으며 수많은 난민이 발생했음.

내 교과서 살펴보기 / 천재교과서, 비상교과서

메콩강을 둘러싼 갈등

메콩강 상류에 있는 중국과 라오스가 차례로 댐을 설치하여 물의 양을 조절하자 하류에 있는 타이, 캄보디아, 베트남 등의 나라들이 피해를 보면서 갈등을 빚고 있습니다.

용어 사전

• **분쟁**(紛 어지러울 분 爭 다툴 쟁) 말썽을 일으켜 시끄럽고 복잡하게 다툼.
• **내전**(內 안 내 戰 싸울 전) 한 나라 안에서 일어나는 싸움

❸ 에티오피아 내전

관련 나라	에티오피아
갈등 원인	80여 개의 민족으로 이루어진 에티오피아에서 민족 간 종교와 언어 차이, 경제적 · 정치적 차별 등으로 인해 내전이 발생했음.
상황	에티오피아 내 서로 다른 민족 사이에 크고 작은 충돌이 나타나고 있음.

❹ 카슈미르 분리 분쟁

관련 나라	인도, 파키스탄
갈등 원인	1947년 주민 대부분이 이슬람교를 믿는 카슈미르 지역이 이슬람 국가인 파키스탄이 아닌, 힌두교를 믿는 사람이 많은 인도에 편입되면서 분쟁이 발생했음.
상황	카슈미르 지역을 둘러싸고 파키스탄과 인도의 심각한 갈등이 계속되고 있음. └→ 서로 카슈미르 지역이 자신의 영토라고 주장하고 있습니다.

❺ 포클랜드 분쟁

관련 나라	영국, 아르헨티나
갈등 원인	태평양과 대서양을 잇는 중요한 위치에 있으며, 주변에 석유가 매장되어 있다고 알려진 포클랜드 제도를 둘러싸고 분쟁이 발생했음.
상황	포클랜드 제도의 소유권을 둘러싼 영국과 아르헨티나의 잠재된 갈등이 나타나고 있음.

2. 지구촌 갈등이 사라지지 않는 까닭

① 역사적으로 오랫동안 갈등이 반복되었기 때문입니다.
② 각 나라가 자신의 이익을 가장 먼저 생각하기 때문입니다.
③ 갈등에 얽힌 강대국들이 과거의 잘못을 책임지지 않고, 오히려 어려운 나라를 이용해서 이익만 얻으려고 하기 때문입니다.

내 교과서 살펴보기 / 천재교과서, 동아출판

르완다 내전

• 르완다의 두 부족 후투족과 투치족은 오랫동안 비슷한 문화와 언어를 공유했으나 르완다를 식민 지배한 벨기에가 후투족을 차별하는 정책을 실시하면서 두 부족이 갈등을 겪게 되었습니다.
• 갈등은 르완다 독립 이후 내전으로 이어졌으며, 수많은 사상자와 난민이 발생했습니다.

☑ **지구촌 갈등이 사라지지 않는 까닭**

지구촌 갈등이 사라지지 않는 까닭은 각 나라가 자신의 ❷ ☐ ☐ 을 가장 먼저 생각하기 때문입니다.

자신의 이익을 가장 먼저 생각하니 갈등이 사라지지 않는 거구나.

정답 ❷ 이익

용어 사전

●편입(編 엮을 편 入 들 입) 얽거나 짜 넣음.

개념 알기

개념 2 지구촌 갈등을 평화롭게 해결하는 방법

1. 지구촌 갈등 해결을 위해 모두가 노력해야 하는 까닭

① 지구촌 갈등 문제는 어느 한 국가의 노력만으로는 해결할 수 없기 때문입니다.

② 한 나라 안에서 발생한 갈등 상황이 주변 지역으로 번져 지구촌 전체의 문제가 될 수도 있기 때문입니다. → 지구촌 갈등을 모른 체한다면 갈등이 심화되거나 더 많은 희생자가 생길 수 있습니다.

[출처: 연합뉴스]
△ 아프가니스탄 시민들의 탈출 행렬

2. 지구촌 갈등을 평화롭게 해결하기 위한 방법

① 세계 여러 나라가 지켜야 하는 강력한 국제법을 제정해야 합니다.

② 갈등을 겪고 있는 나라나 민족이 서로 화해하려는 의지를 지녀야 합니다.

③ 자기 나라의 이익을 추구할 때 지구촌이 공존할 수 있는 방법을 생각합니다. → 서로 도와 함께 존재함.

3. 지구촌 갈등 해결을 위해 우리가 할 수 있는 일

뉴스나 기사에 나오는 지구촌 갈등 문제에 대해 찾아보기

사람들이 지구촌 문제에 관심을 갖도록 누리 소통망 서비스(SNS)에 글 쓰기

국제 앰네스티 편지 쓰기 등 다양한 국제기구와 비정부 기구 활동에 참여하기

지구촌 갈등 문제를 알리는 활동에 참여하기

내 교과서 살펴보기 / 천재교과서, 동아출판, 미래엔, 비상교과서

지구촌 평화와 발전을 위해 우리가 할 수 있는 일

• 어린이 비정부 기구를 만들어 활동하기

• 지구촌 갈등 해결을 위한 홍보 동영상 만들기

☑ **지구촌 갈등 해결을 위해 모두가 노력해야 하는 까닭**

지구촌 갈등 문제는 어느 한 국가의 노력만으로 해결하기 ❸(쉽습니다 / 어렵습니다).

☑ **지구촌을 위해 우리가 할 수 있는 일**

많은 사람들이 지구촌 문제에 관심을 갖도록 ❹ ㄴ ㄹ ㅅ ㅌ ㅁ 서비스(SNS)에 글을 쓸 수 있습니다.

정답 ❸ 어렵습니다 ❹ 누리 소통망

용어 사전

국제 앰네스티 편지 쓰기
인권 침해로 감옥에 있는 사람들의 석방을 요구하는 편지를 쓰는 활동

개념 다지기

1 다음 글의 ☐ 안에 공통으로 들어갈 알맞은 말을 쓰시오.

11종 공통

> • 1948년 유대인은 오래전 조상들이 살던 곳이라며 ☐☐☐☐ 지역에 이스라엘을 건국했습니다.
> • 이슬람교를 믿는 ☐☐☐☐ 사람들이 영토를 되찾기 위해 저항하며 분쟁이 발생했습니다.

(   )

천재교육, 금성출판사, 김영사, 동아출판, 미래엔, 비상교과서, 지학사

2 카슈미르 분리 분쟁에 대한 설명으로 알맞은 것은 어느 것입니까? (   )

① 영국과 아르헨티나의 분쟁이다.
② 지역의 종교 차이로 인해 발생한 분쟁이다.
③ 지역의 언어 차이로 인해 발생한 분쟁이다.
④ 석유가 매장된 지역의 소유권을 둘러싼 분쟁이다.
⑤ 80여 개의 민족으로 이루어진 나라에서 발생한 내전이다.

천재교육, 금성출판사, 김영사, 동아출판, 미래엔, 비상교육

3 시리아 내전의 원인을 두 가지 고르시오.

(,   )

① 성 차별   ② 독재 정치
③ 민족 갈등   ④ 종교 문제
⑤ 인종 차별

4 지구촌 갈등에 대해 바르게 말한 어린이를 쓰시오.

11종 공통

> 미진: 지구촌 갈등이 사라지지 않는 까닭은 모든 갈등이 최근에 일어났기 때문이야.
> 세현: 각 나라가 자신의 이익을 가장 먼저 생각하기 때문에 지구촌 갈등이 사라지지 않아.
> 은영: 지구촌 갈등은 당사자들끼리의 문제이기 때문에 다른 나라가 간섭하지 않는 게 좋아.

(   )

5 지구촌 갈등을 평화롭게 해결하기 위한 방법으로 알맞지 않은 것을 보기에서 찾아 기호를 쓰시오.

11종 공통

보기
> ㉠ 세계 여러 나라가 지켜야 할 국제법을 제정합니다.
> ㉡ 지구촌의 공존보다는 자기 나라의 이익만을 생각합니다.
> ㉢ 갈등을 겪고 있는 나라나 민족이 서로 화해하려는 의지를 지녀야 합니다.

(   )

6 지구촌 갈등 해결을 위해 우리가 직접 할 수 있는 일로 알맞지 않은 것은 어느 것입니까? (   )

11종 공통

① 지구촌 갈등 문제에 관심 가지기
② 다양한 국제기구의 활동에 참여하기
③ 누리 소통망 서비스에 관련 글 올리기
④ 지구촌 친구들을 위한 모금에 참여하기
⑤ 직접 분쟁 지역에 찾아가 봉사 활동하기

개념① 지구촌의 평화와 발전을 위한 국제기구의 노력

1. 국제기구

① 여러 나라가 모여 지구촌의 평화와 협력을 위해 활동하는 단체입니다.

② 대표적인 국제기구로는 국제 연합(UN)이 있습니다.

2. 국제 연합(UN)

국제 연합(UN)의 상징물은 평화를 상징하는 파란색을 사용합니다.

① 1945년에 지구촌의 평화 유지와 전쟁 방지 등을 위해 만들어졌습니다.

② 다양한 기구를 두어 지구촌 갈등 문제를 해결하려고 노력하고 있습니다.

3. 국제 연합(UN)의 기구들

국제 연합 난민 기구 (UNHCR)	난민들에게 안전한 피난처와 식수, 필수 생활용품 등을 제공하고, 난민들이 안전하게 정착할 수 있도록 도움.
세계 식량 계획 (WFP)	전 세계에서 전쟁, 내전, 자연재해 등 긴급한 상황으로 어려움에 처한 사람들에게 식량을 지원함.
국제 연합 아동 기금(UNICEF)	전 세계 어린이들이 안전하고 깨끗한 환경에서 교육받고 건강하게 성장하도록 여러 가지 지원을 함.
국제 연합 교육 과학 문화 기구(UNESCO)	교육, 과학, 문화 등의 교류와 문화 다양성을 지키려고 노력함.
국제 노동 기구(ILO)	전 세계의 노동 문제를 다룸.

☑ **국제기구**

국제기구는 지구촌의 평화와 협력을 위해 여러 ❶ [ㄴ][ㄹ]가 모여 활동하는 단체입니다.

나는 지구촌의 어린이들을 위해 활동하는 국제기구를 만들 거야! 너도 같이 할래?

뜻은 좋은데 국제기구는 여러 나라가 모인 단체야.

☑ **국제 연합(UN)**

국제 연합(UN)은 지구촌의 ❷(평화 / 갈등) 유지를 위해 만들어진 국제기구입니다.

그래도 나는 전 세계 어린이들의 건강을 위해 일하고 싶은데.

나중에 국제 연합 아동 기금과 같은 곳에서 일하면 되지!

토닥 토닥

정답 ❶ 나라 ❷ 평화

내 교과서 살펴보기 / **천재교과서, 금성출판사, 김영사, 비상교육, 지학사**

국제 연합(UN)의 다양한 기구들

국제 원자력 기구	평화적이고 안전한 원자력 이용을 위해 노력함.
세계 보건 기구	전 세계인의 건강을 위한 연구와 전염병 예방, 치료를 위해 노력함.

개념② 지구촌의 평화와 발전을 위한 비정부 기구의 노력

1. 비정부 기구

① 지구촌의 여러 문제를 해결하기 위해 뜻이 비슷한 개인들이 모여 활동하는 단체입니다.

② 비정부 기구는 평화 유지, 환경 보전, *빈곤 퇴치, 성 평등 등을 위해 여러 가지 활동을 하고 있습니다.

☑ **비정부 기구**

비정부 기구는 지구촌 문제를 해결하기 위해 뜻이 비슷한 ❸ □ㄱ□ㅇ□ 들이 모여 활동하는 단체입니다.

2. 다양한 비정부 기구의 활동

국경 없는 의사회		전쟁, 재해, 전염병 등으로 고통받는 사람들에게 종교, 민족 등과 관계없이 의료 서비스를 제공함.
세이브 더 칠드런		종교, 국적, 인종을 초월해 모든 어린이의 생존과 보호를 위해 교육, 의료 등의 분야에서 다양한 지원을 함.
해비타트		가난, 전쟁, 자연재해 등으로 터전을 잃어버린 사람들에게 집을 지어 줌.
국제 앰네스티		국가 권력에 의해 억울하게 인권을 탄압받는 사람들의 인권 보호를 위해 활동함.

☑ **세이브 더 칠드런**

세이브 더 칠드런은 지구촌의 모든 ❹ □ㅇ□ㄹ□ㅇ□의 생존과 보호를 위해 노력합니다.

> 내 교과서 살펴보기 / 천재교육, 천재교과서, 금성출판사, 김영사, 동아출판, 비상교육, 아이스크림 미디어

다양한 비정부 기구의 활동

그린피스	지구의 환경과 평화를 지키고자 핵실험 반대, 자연 보호 운동을 함.
핵무기 폐기 국제 운동	많은 사람에게 핵무기의 위험성을 알리고 핵무기와 관련된 모든 것을 반대하는 운동을 펼침. → 국제 연합 핵무기 금지 조약을 이끌어 내는 데 중요한 역할을 했습니다.

용어
사전

*빈곤(貧 가난할 빈 困 괴로울 곤)
가난해서 생활이 어려운 상태

개념 ③ 지구촌의 평화와 발전을 위한 국가와 개인의 노력

1. 지구촌 평화와 발전을 위한 우리나라의 노력 예

지구촌 평화를 위한 외교 활동	우리나라 정부는 민주화 시위를 무력으로 진압한 미얀마 군대 및 경찰과의 협력을 끊겠다고 발표했음.
전쟁을 막기 위한 평화 조약 가입	지구촌 평화와 안전을 위해 핵 확산 금지 조약(NPT), 생물 무기 금지 협약(BWC), 화학 무기 금지 협약(CWC) 등의 국제 조약에 가입했음.
국제 연합(UN) 평화 유지 활동 참여	국제 연합(UN)의 요청으로 오랜 전쟁으로 고통받는 레바논에 평화 유지군인 동명부대를 파견했음.
한국 국제 협력단 (KOICA) 운영	우리나라 외교부 산하 기관인 한국 국제 협력단(KOICA)은 전쟁으로 피해를 입은 이라크 북부 지역의 여성들을 돕기 위해 지원 센터를 건립했음.

2. 지구촌 평화와 발전을 위한 개인의 노력 → 지구촌의 평화와 발전을 위해서는 각 개인이 지구촌 갈등 문제에 관심을 가지고 문제 해결에 참여해야 합니다.

이태석	2001년부터 남수단의 '톤즈'라는 마을에 병원을 짓고 직접 진료했으며, 마을 사람들과 힘을 합쳐 학교를 만드는 등 빈곤과 기아로 고통받는 남수단 사람들을 위해 헌신했음.
	[출처: 연합뉴스]
조디 윌리엄스	→ 지뢰로 인한 피해를 알려 지뢰를 제거하는 일을 합니다. 1991년 지뢰 금지 국제 운동(ICBL) 단체를 만들고 123개 나라로부터 더 이상 지뢰를 사용하지 않겠다는 약속을 받아 내 1997년 노벨 평화상을 수상했음.
	[출처: 연합뉴스]

내 교과서 살펴보기 / 천재교육, 천재교과서, 금성출판사, 김영사, 동아출판, 미래엔, 비상교과서, 비상교육, 아이스크림 미디어

말랄라 유사프자이
- 파키스탄의 운동가입니다.
- 누리 소통망 서비스(SNS)를 이용해 탈레반 점령 지역의 실상을 알렸습니다.
- 여성과 아이들의 인권을 위해 활동하여 2014년 최연소 노벨 평화상을 수상했습니다.

☑ **지구촌을 위한 우리나라의 노력**

우리나라는 지구촌 평화와 발전을 위해 한국 국제 ❺ ⬜⬜⬜ 을 운영합니다.

나는 나중에 한국 국제 협력단으로 활동하고 싶어. 심리 상담에는 자신이 있거든!

우리 마음도 모르면서.

소곤 소곤

☑ **지구촌을 위한 개인의 노력**

평생 남수단 사람들을 위해 헌신한 ❻ ⬜⬜⬜ 은 병원을 짓고 학교를 만드는 등의 일을 했습니다.

남수단 사람들을 위해 봉사한 이태석의 이야기구나.

정말 대단하신 분이야. 평생 다른 사람들을 위해 헌신할 수 있다니!

정답 ❺ 협력단 ❻ 이태석

📖 용어 사전

● 무력(武 호반 무 力 힘 력)
군사상의 힘

● 지뢰(地 땅 지 雷 우레 뢰)
땅속에 묻어 두고, 그 위를 사람이나 차량 따위가 지나가면 폭발하도록 만든 폭약

개념 다지기

1 다음은 무엇에 대한 설명인지 쓰시오.

> • 대표적인 국제기구입니다.
> • 1945년 지구촌의 평화 유지와 전쟁 방지 등을 위해 만들어졌습니다.

( )

2 다음 기구에서 하는 일을 찾아 바르게 줄로 이으시오.

(1) 국제 노동 기구 • • ㉠ 난민들에게 안전한 피난처를 제공함.

(2) 국제 연합 난민 기구 • • ㉡ 전 세계의 노동 문제를 다룸.

3 다음 ☐ 안에 들어갈 알맞은 말을 쓰시오.

> 지구촌의 여러 문제를 해결하기 위해 뜻이 비슷한 개인들이 모여 활동하는 단체를 ☐ 라고 합니다.

( )

4 다음과 같은 활동을 하는 비정부 기구는 어디입니까?

( )

> 전쟁, 재해, 전염병 등으로 고통받는 사람들에게 종교, 민족 등과 관계없이 의료 서비스를 제공합니다.

① △ 해비타트 ② △ 국경 없는 의사회

③ △ 세이브 더 칠드런 ④ △ 핵무기 폐기 국제 운동

5 지구촌 평화와 발전을 위한 우리나라의 노력으로 알맞지 않은 것은 어느 것입니까? ( )

① 외교 활동 ② 평화 조약 가입
③ 평화 유지군 파견 ④ 비정부 기구 운영
⑤ 한국 국제 협력단 운영

6 이태석이 지구촌 평화와 발전을 위해 한 일을 보기 에서 찾아 기호를 쓰시오.

> **보기**
> ㉠ 남수단 사람들을 위해 헌신했습니다.
> ㉡ 탈레반 점령 지역의 실상을 알렸습니다.
> ㉢ 지뢰 금지 국제 운동 단체를 만들었습니다.
> ㉣ 인도인에 대한 인종 차별에 맞서 싸웠습니다.

( )

2 단원

진도 완료 체크

단원 실력 쌓기

Step ① 단원평가

[1~5] 다음은 개념 확인 문제입니다. 물음에 답하시오.

1 80여 개의 민족으로 이루어진 (파키스탄 / 에티오피아) 에서는 민족 간 차이와 차별 등으로 끊이지 않는 갈등이 발생하고 있습니다.

2 국제기구는 여러 (개인 / 나라)이/가 모여 지구촌의 평화와 협력을 위해 활동하는 단체입니다.

3 난민들이 고향으로 돌아가거나 새로운 곳에 안전하게 정착할 수 있도록 돕는 국제기구는 어디입니까?
( )

4 국경 없는 의사회는 전쟁, 재해 등으로 고통받는 사람들에게 (주택 / 의료 서비스)을/를 제공합니다.

5 조디 윌리엄스가 만든 단체의 이름은 무엇입니까?
( ) 단체

천재교육

6 포클랜드 제도의 소유권을 둘러싸고 갈등을 겪고 있는 두 나라는 어디입니까? ( )
① 영국, 미국
② 미국, 프랑스
③ 칠레, 아르헨티나
④ 영국, 아르헨티나
⑤ 에스파냐, 아르헨티나

천재교육, 금성출판사, 김영사, 동아출판, 미래엔, 비상교육

7 다음과 같은 문제가 발생한 나라는 어디입니까?
( )

> • 대통령의 독재 정치와 종교 문제 때문에 내전이 발생하여 10년 넘게 계속되고 있습니다.
> • 계속되는 내전으로 많은 사람이 다치거나 죽었으며 수많은 난민이 발생했습니다.

① 인도 ② 시리아 ③ 르완다
④ 에스파냐 ⑤ 에티오피아

11종 공통

8 지구촌 갈등 해결을 위해 우리 모두가 노력해야 하는 까닭으로 알맞지 <u>않은</u> 것은 어느 것입니까? ( )
① 문제가 발생한 지역 사람들의 삶이 위험할 수 있기 때문이다.
② 한 나라의 문제가 지구촌 전체의 문제가 될 수 있기 때문이다.
③ 지구촌 갈등은 어느 한 국가의 노력만으로 해결하기 어렵기 때문이다.
④ 한 나라 안에서 발생한 갈등 상황이 주변까지 번질 수 있기 때문이다.
⑤ 지구촌 모두가 함께 갈등 상황을 해결하도록 하는 법이 있기 때문이다.

11종 공통

9 다음 ☐ 안에 들어갈 알맞은 말을 두 가지 고르시오.
(,)

> 국제 연합(UN)은 1945년 지구촌의 ☐ 등을 위해 만들어졌습니다.

① 환경 파괴 ② 평화 유지
③ 무역 활동 ④ 물가 상승
⑤ 전쟁 방지

천재교육, 금성출판사, 김영사, 지학사

10 다음과 같은 일을 하는 국제 연합(UN)의 기구는 무엇입니까? (　　　　)

> 전 세계인의 건강을 위한 연구와 전염병 예방, 치료를 위해 노력합니다.

① 국제 노동 기구
② 세계 보건 기구
③ 세계 식량 계획
④ 국제 연합 아동 기금
⑤ 국제 연합 교육 과학 문화 기구

11종 공통

11 다음 (　　　) 안에 들어갈 비정부 기구로 알맞은 것에 ○표를 하시오.

> (세이브 더 칠드런 / 해비타트)은/는 어린이의 생존과 보호를 위해 다양한 지원을 합니다.

천재교과서, 교학사, 금성출판사, 김영사, 동아출판,
미래엔, 비상교과서, 아이스크림 미디어, 지학사

12 국제 앰네스티의 활동으로 알맞은 것은 어느 것입니까?
(　　　　)

① 핵실험을 반대한다.
② 자연 보호 운동을 한다.
③ 터전을 잃어버린 사람들에게 집을 지어 준다.
④ 지뢰로 인한 피해를 알려 지뢰를 제거하는 일을 한다.
⑤ 부당하게 인권을 탄압받는 사람들의 인권을 보호한다.

11종 공통

13 다음과 관련된 내용으로 알맞지 <u>않은</u> 것은 어느 것입니까? (　　　　)

> 지구촌 평화와 발전을 위한 우리나라의 노력

① 핵 확산 금지 조약 체결
② 화학 무기 금지 협약 체결
③ 오랜 전쟁으로 고통받는 시리아에 동명부대 파견
④ 이라크 북부 지역에 한국 국제 협력단 지원 센터 건립
⑤ 민주화 시위를 무력으로 진압한 미얀마 군대와의 협력 단절

천재교육, 천재교과서, 금성출판사, 김영사, 동아출판,
미래엔, 비상교과서, 비상교육, 아이스크림 미디어

14 지구촌 평화와 발전을 위해 다음과 같은 활동을 한 사람은 누구입니까? (　　　　)

[출처: 연합뉴스]

• 파키스탄의 운동가로, 누리 소통망 서비스(SNS)를 이용해 탈레반 점령 지역의 실상을 알렸습니다.
• 소녀와 여성에 대한 억압에 반대하고 모든 어린이의 교육받을 권리를 위해 활동하여 2014년 최연소 노벨 평화상을 수상했습니다.

① 넬슨 만델라
② 테레사 수녀
③ 조디 윌리엄스
④ 마하트마 간디
⑤ 말랄라 유사프자이

천재교육, 금성출판사, 김영사, 동아출판, 미래엔, 비상교과서, 지학사

15 다음을 보고, 카슈미르 분리 분쟁이 발생한 까닭을 쓰시오.

최근 카슈미르 지역을 둘러싸고 파키스탄과 인도의 심각한 갈등이 계속되고 있습니다.

답 주민 대부분이 이슬람교를 믿는 카슈미르 지역이 이슬람 국가인 ❶[   ]이 아닌, 힌두교를 믿는 사람이 많은 ❷[   ]에 편입되면서 분쟁이 발생했다.

16 다음은 시리아의 갈등 문제를 해결하려는 지구촌 사람들의 노력입니다.   11종 공통

저는 전쟁으로 살 곳을 잃은 시리아 사람들이 안전한 곳에 정착할 수 있도록 도와요.

저는 전쟁으로 다친 시리아 사람들을 치료하고 있어요.

(1) 위의 지구촌 사람들이 공통적으로 돕고 있는 대상을 밑줄 친 부분과 관련하여 쓰시오.

시리아 (   )

(2) 세계 곳곳에서 일어나는 갈등을 모른 체할 때 일어날 수 있는 일을 쓰시오.

_____

_____

17 지구촌 갈등이 사라지지 않는 까닭을 쓰시오.   11종 공통

_____

_____

서술형 가이드
어려워하는 서술형 문제!
서술형 가이드를 이용하여 풀어 봐!

15 카슈미르는 [ ][ ][ ]교를 믿는 사람이 많은데, 과거 이곳을 통치하던 힌두교 지도자가 인도에 통치권을 넘겨 갈등이 발생했습니다.

16 (1) 전쟁과 재난으로 어려움에 처한 사람을 [ ][ ](이)라고 합니다.
(2) 지구촌 사람들의 노력을 통해 지구촌의 평화가 지속될 수 (있습니다 / 없습니다).

17 지구촌에서 일어나는 갈등은 (한 / 여러) 가지 원인으로 일어납니다.

단원 실력 쌓기 정답 12쪽

수행평가 가이드
다양한 유형의 수행평가! 수행평가 가이드를 이용해 풀어 봐!

학습 주제 지구촌 갈등 해결을 위한 노력

학습 목표 지구촌 갈등 해결을 위해 우리가 할 수 있는 일을 알 수 있다.

지구촌 갈등 해결을 위해 우리가 할 수 있는 일
• 뉴스나 신문 기사에 나오는 지구촌 갈등 문제에 관심을 가지고 정보를 찾아봅니다.
• 지구촌 갈등 문제 해결을 위한 다양한 국제기구와 비정부 기구 활동에 참여합니다.

[18~20] 다음은 지구촌 갈등 해결을 위해 노력하는 모습입니다.

18 다음과 같은 일을 하는 모습을 찾아 기호를 쓰시오.　11종 공통

> 사람들이 지구촌 갈등 문제 해결에 관심을 갖도록 누리 소통망 서비스(SNS)에 글을 올립니다.

(　　　　　　　　　)

이 단체는 부당하게 인권을 탄압받는 사람들의 인권을 보호하기 위한 활동을 하고 있어.

19 위 ㉣은 인권 침해를 당해 감옥에 있는 사람들을 석방하라고 편지를 쓰는 모습입니다. 관련된 비정부 기구를 보기 에서 찾아 ○표 하시오.　11종 공통

> **보기**
> • 해비타트　　　• 국제 앰네스티　　　• 국경 없는 의사회

20 위와 같이 우리가 지구촌 갈등 문제에 관심을 가져야 하는 까닭을 쓰시오.　11종 공통

_____

_____

개념 ① 지구촌에서 나타나는 환경문제

1. 지구 온난화 → 이상 기후 현상의 원인이 되기도 합니다.

의미	지구의 평균 기온이 상승하는 현상
원인	공장이나 자동차 등에서 이산화 탄소와 같은 온실가스가 지나치게 배출됨.
피해	• 지구의 평균 기온이 지난 100년 동안 꾸준히 상승했음. • 빙하가 녹아 해수면이 높아졌고, 일부 해안 지역은 바닷물이 들이닥쳐 사람들이 살 땅을 잃고 있음.

무너져 내리는 빙하 ▶ [출처: ⓒDavid Greitzer / Shutterstock]

→ 예 투발루, 키리바시

2. 열대 우림 파괴

의미	열대 기후 지역의 울창한 삼림이 파괴되는 현상
원인	지역 개발로 넓은 면적의 열대 우림이 없어지고 있음.
피해	• 여러 동식물의 보금자리이자 지구에 산소를 공급하는 중요한 곳이 사라지고 있음. • 2020년 열대 우림의 파괴 면적은 12년 만에 최대를 기록했음.

지역 개발로 파괴되고 있는 ▶ 브라질의 아마존 열대 우림 [출처: 연합뉴스]

3. 과도한 쓰레기와 오염 물질 배출

원인	플라스틱 쓰레기가 급증하고 있음.
피해	• 사람들이 버린 플라스틱 쓰레기가 잘 썩지 않아 환경을 오염시키고 생태계를 파괴하고 있음. • 최근에는 배송·배달과 관련된 쓰레기 배출이 급증했음.

플라스틱 조각들로 이루어진 ▶ 태평양의 쓰레기 섬 [출처: 연합뉴스]

4. 초미세 먼지 증가

원인	공장이나 자동차의 오염 물질로 공기 중 초미세 먼지의 농도가 증가했음.
피해	• 초미세 먼지가 사람 몸속에 들어가 호흡기 질환과 같은 여러 질병을 일으키고 있음. • 바깥 활동을 하기 어려워짐.

세계 여러 공장에서 내뿜는 오염 물질 ▶ [출처: 연합뉴스]

☑ 지구 온난화 문제

지구 온난화로 ❶ [ㅂ][ㅎ] 가 녹아 해수면이 높아졌습니다.

내가 꼭 가고 싶은 섬나라가 지구 온난화 때문에 점점 물에 잠기고 있어.

☑ 쓰레기 문제

버려진 ❷ [ㅍ][ㄹ][ㅅ][ㅌ] 쓰레기가 잘 썩지 않아 생태계를 파괴하고 있습니다.

오랜만에 바다에 오니까 너무 좋다! 근데 너희들 뭐 해?

겨우 십 분 동안 주웠는데 쓰레기가 이만큼이야. 너무 속상해.

정답 ❶ 빙하 ❷ 플라스틱

내 교과서 살펴보기 / 천재교과서, 금성출판사, 김영사, 미래엔, 비상교육, 아이스크림 미디어

지구촌의 환경문제
• 아프리카의 사막화: 이상 기후로 가뭄이 지속되고, 삼림이 지나치게 훼손되면서 사막 주변의 초원 지대가 점점 사막으로 변하고 있습니다.
• 산호 백화 현상: 지구가 더워지면서 바닷물의 온도가 높아져 산호가 하얗게 변하며 점점 죽어 갑니다.

개념② 환경문제를 해결하기 위한 노력 → 지구촌의 환경문제는 그 원인과 영향이 지역 간에 얽혀 있으므로, 어느 한 지역이 아닌 지구촌 전체의 문제입니다.

1. 환경문제를 해결하기 위한 개인의 노력

일상생활에서 자원과 에너지 절약하기	△ 개인 컵 사용하기	• 일회용품 사용을 줄임. 여름철 실내 적정 온도는 25℃~26℃입니다. • 냉난방기를 적정 온도로 설정함. • 친환경 가방(에코백)을 들고 다님. • 사용하지 않는 전자 제품의 플러그를 뽑음.
환경을 생각하는 소비하기	△ 친환경 제품 사기	• 정부의 환경 정책을 따르며 환경을 생각하는 소비를 함. • 친환경 제품이나 에너지 고효율 제품을 삼.
올바른 방법으로 분리배출하기	△ 분리배출하기	올바른 방법으로 분리배출을 함. ➡ 자원의 재활용율을 높여 자원 낭비를 막고, 쓰레기로 버려지는 재활용품을 줄일 수 있음.

2. 환경문제를 해결하기 위한 기업의 노력

① 친환경 소재나 기술을 개발합니다.
② 제품의 생산·이동·폐기 과정에서 불필요한 자원과 에너지가 낭비되지 않도록 노력합니다.

△ 비닐 포장 없는 제품 만들기 △ 재사용 가능한 보랭 가방에 담아 배송하기 △ 비닐 대신 종이로 만든 포장재 사용하기 △ 에너지 고효율 가전제품과 친환경 제품 만들기

내 교과서 살펴보기 / **천재교과서, 비상교과서, 아이스크림 미디어, 지학사**

환경문제 해결을 위한 기업의 노력
• 과대 포장을 하지 않습니다.
• 공장에 에너지 절약을 위한 장치를 설치합니다.
• 화석 연료를 줄이고 온실 가스를 적게 배출하는 생산 시설을 설치합니다.

☑ 환경문제를 해결하기 위한 노력

지구촌 사람들은 환경문제 해결을 위해 쓰레기를 ❸(줄이는 / 늘리는) 등의 노력을 하고 있습니다.

☑ 환경문제 해결을 위한 개인의 노력

우리는 쓰레기를 올바른 방법으로 ❹ | ㅂ | ㄹ | ㅂ | ㅊ | 해야 합니다.

정답 ❸ 줄이는 ❹ 분리배출

용어 사전

● 정책(政 정사 정 策 꾀 책)
 정치적 목적을 실현하기 위한 방책
● 폐기(廢 폐할 폐 棄 버릴 기)
 못 쓰게 된 것을 버림.

3. 환경문제를 해결하기 위한 시민 단체의 노력

환경 운동	기업이나 정부의 활동 감시
[출처: 연합뉴스]	
⬆ 일회용품 사용을 줄이자는 캠페인	⬆ 환경에 나쁜 영향을 주는 기업 활동에 반대하는 시위
사람들의 환경 보호 의식을 높이는 환경 운동을 함.	기업이나 정부의 활동이 환경에 나쁜 영향을 끼치지 않는지 감시함.

4. 환경문제를 해결하기 위한 정부의 노력 → 환경 관련 법과 제도를 만들어 개인과 기업이 이를 실천하도록 합니다.

⬆ 가전제품의 에너지 소비 효율 등급 기준 높이기

⬆ 매장 내 일회용품 사용 금지 하기

[출처: 연합뉴스]

⬆ 과대 포장 단속하기

5. 환경문제를 해결하기 위한 세계의 노력 → 세계 각 나라는 환경문제를 해결하고자 서로 협력하여 대응책을 세우고 실천합니다.

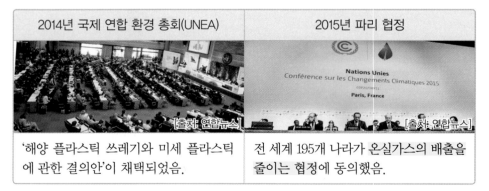

2014년 국제 연합 환경 총회(UNEA)	2015년 파리 협정
[출처: 연합뉴스]	[출처: 연합뉴스]
'해양 플라스틱 쓰레기와 미세 플라스틱에 관한 결의안'이 채택되었음.	전 세계 195개 나라가 온실가스의 배출을 줄이는 협정에 동의했음.

내 교과서 살펴보기 / 천재교과서, 금성출판사, 김영사, 동아출판, 비상교과서, 비상교육

환경문제를 해결하기 위한 비정부 기구의 노력

• 그린피스: 지구 온난화로 나타난 기후 변화와 해양 오염, 열대 우림 파괴 등의 환경문제를 조사해 심각성을 알리는 일을 합니다.
• 세계 자연 기금(WWF): 멸종 위기에 있는 동물을 보호하며, 일정 시간 불필요한 전등을 끄고 지구촌의 환경문제를 생각해 보는 운동을 진행하기도 합니다.

☑ **환경문제 해결을 위한 시민 단체의 노력**

시민 단체는 ❺ ⬜ㅎ ⬜ㄱ ⬜ㅂ ⬜ㅎ 의식을 높이는 환경 운동을 합니다.

지구 환경을 위해 일회용품 사용을 줄입시다!

쓰레기 분리배출을 열심히 합시다!

☑ **환경문제 해결을 위한 정부의 노력**

정부는 환경 관련 ❻ ⬜ㅂ 과 제도를 만들어 개인과 기업이 이를 실천하도록 합니다.

정부에서 매장 내 일회용품 사용을 금지시켰어.

이제 내 예쁜 컵들이 활약할 때가 왔군.

정답 ❺ 환경 보호 ❻ 법

용어
사전

•**의식**(意 뜻 의 識 알 식)
사회적·역사적으로 형성되는 사물이나 일에 대한 개인적·집단적 감정이나 견해나 사상
•**대응책**(對 대답할 대 應 응할 응 策 꾀 책)
어떤 일이나 사태에 맞추어 취하는 방책

11종 공통

1 지구촌에서 나타나는 환경문제로 알맞은 것을 두 가지 고르시오. (,   )

① 성 차별
② 종교 갈등
③ 빈곤과 기아
④ 열대 우림 파괴
⑤ 초미세 먼지 증가

11종 공통

4 다음 중 환경문제 해결을 위한 개인의 노력을 찾아 기호를 쓰시오.

ⓐ 올바른 분리배출 하기 　 ⓐ 가전제품의 에너지 소비 효율 등급 기준 높이기

(   )

11종 공통

2 최근 플라스틱 쓰레기가 많아지면서 나타나는 모습으로 가장 알맞은 것은 어느 것입니까? (   )

① ⓐ 무너져 내리는 빙하

② ⓐ 파괴되는 열대 우림

③ ⓐ 태평양 위 쓰레기 섬

④ ⓐ 초미세 먼지의 증가

11종 공통

5 환경문제를 해결하기 위해 노력하는 주체와 그들의 활동을 바르게 줄로 이으시오.

(1) 기업　·

(2) 정부　·

(3) 시민 단체　·

·　㉠ 친환경 기술 개발

·　㉡ 정부의 활동 감시

·　㉢ 환경 관련 법 제정

천재교육, 교학사, 금성출판사, 동아출판, 미래엔, 비상교과서, 비상교육, 아이스크림 미디어

6 다음 ☐ 안에 들어갈 말로 알맞은 것은 어느 것입니까?
(   )

> 2015년 파리 협정에서는 전 세계 195개 나라가 지구 온난화의 원인인 ☐☐☐의 배출을 줄이는 협정에 동의했습니다.

① 쓰레기 　　　 ② 온실가스
③ 천연가스 　　 ④ 미세 플라스틱
⑤ 태양광 에너지

11종 공통

3 지구촌 사람들이 환경문제를 해결하기 위해 하는 일로 알맞지 않은 것은 어느 것입니까? (   )

① 자원을 절약한다.
② 에너지를 절약한다.
③ 쓰레기를 줄이려고 노력한다.
④ 환경을 생각하는 생산을 한다.
⑤ 경제를 더욱 성장시킬 수 있는 소비를 한다.

6 지속가능한 미래

개념① 지속가능한 미래

의미	지구촌 사람들이 현재뿐만 아니라 미래 세대의 환경과 발전을 위해 책임감 있게 행동했을 때 다가올 미래
지속가능한 미래를 위해 노력하는 까닭	해결하기 어려운 지구촌의 문제가 오늘날 사람들의 안정적인 생활을 어렵게 함. ➡ 미래 사람들이 발전할 수 있는 권리까지 빼앗고 있음. → 예 환경문제, 빈곤과 기아, 갈등과 분쟁

> 내 교과서 살펴보기 / 천재교육, 천재교과서, 금성출판사, 동아출판, 비상교과서, 비상교육, 아이스크림 미디어
>
> **국제 연합(UN)이 선정한 지속가능 발전 목표 17가지**
>
> 빈곤 퇴치, 기아 종식, 건강과 웰빙, 양질의 교육, 성 평등, 깨끗한 물과 위생, 모두를 위한 깨끗한 에너지, 양질의 일자리와 경제성장, 산업·혁신·사회 기반 시설, 불평등 감소, 지속 가능한 도시와 공동체, 지속가능한 생산과 소비, 기후 변화와 대응, 해양 생태계 보존, 육상 생태계 보존, 정의·평화·효과적인 제도, 지구촌 협력

개념② 지속가능한 미래를 위한 과제

1. 친환경적 생산과 소비 방식의 확산

① 친환경적 생산

의미	환경을 생각하며 물건을 생산하고 판매하는 활동
사례	• 상품을 생산할 때 자원과 에너지를 최소한으로 사용함. → 예 폐지나 코코넛 껍질을 이용한 재생 용지로 상품 만들기 • 농약이나 화학 비료를 사용하지 않은 친환경 농산물을 생산함. • 전기 자동차나 수소 자동차 등 환경을 오염시키지 않는 자동차를 만듦. • 쓰레기를 줄이기 위해 상표 띠가 없는 페트병에 담긴 제품을 만들어 판매함.

△ 상표 띠가 없는 페트병

② 친환경적 소비

의미	환경에 미치는 영향을 고려하며 소비하는 활동
사례	• 대나무 빨대, 천연 수세미 등 친환경 재료로 만든 제품을 구입함. • 쓰레기가 나오지 않는 '제로 웨이스트 숍(Zero Waste Shop)'을 이용하거나 음식을 구입할 때 빈 그릇을 가져감.

△ 일회용품 사용 줄이기

☑ 지속가능한 미래

지구촌 사람들은 ❶ ㅈ ㅅ 가능한 미래를 위해 책임감 있게 행동해야 합니다.

지속가능한 미래란?

웬일이래…

지구촌 사람들이 현재뿐만 아니라 미래 세대의 환경과 발전을 위해 책임감 있게 행동했을 때 다가올 미래!

훗!

☑ 지속가능한 미래를 위한 과제

지구촌 사람들은 환경을 생각하여 ❷ ㅊ ㅎ ㄱ 적 생산과 소비 방식의 확산을 위해 노력하고 있습니다.

앞으로 물비누를 살 때 집에서 용기를 가져오기로 했어. 어때?

친환경적 소비 인정!

> 정답 ❶ 지속 ❷ 친환경

📖 용어 사전

● 기아(飢 주릴 기 餓 주릴 아) 먹을 것이 없어 굶주리는 것

2. 빈곤과 기아 퇴치

문제 상황	• 지구촌에는 먹을 음식이 충분하지만, 지구촌 인구의 10%가 기아 상태임. → 상위 1%의 부자가 전체 부의 20%를 차지하고 있습니다. • 굶주림으로 민족이나 나라 간 분쟁이 발생하기도 하므로 빈곤과 기아 문제는 지구촌의 평화를 위협할 수 있음.
문제의 원인	• 음식과 부의 불평등이 심각함. • 자연재해와 전쟁 등으로 삶의 터전을 잃고 물과 식량이 부족해짐.
문제 해결 노력	• 모금 활동으로 돈과 물건, 식량 등을 지원함. • 빈곤과 기아 문제에 많은 사람이 관심을 기울일 수 있도록 다양한 홍보 활동을 벌임. • 빈곤과 기아에 시달리는 사람들의 교육 환경을 개선하고, 스스로 경제활동을 할 수 있도록 지원함. → 우리나라의 농촌 진흥청은 식량난을 겪는 케냐에 농업 기술 전수 교육을 해 주었습니다. ⬆ 식량 지원하기 　　⬆ 교육 지원하기

3. 문화적 편견과 차별 해소

문제 상황	낯선 종교나 다른 인종 등 서로 다른 문화에 대한 편견과 차별로 갈등이 생김.
문제 해결 노력	• 서로 다른 문화를 이해하고 존중하기 위한 다양한 행사와 교육 활동을 열어 모든 사람들이 평화롭게 공존하고자 노력함. • 편견과 차별로 고통받는 사람들에게 취업, 교육, 의료, 상담 등 다양한 도움을 줌. ⬆ 지구촌 다문화 체험 행사 　　⬆ 다문화 인구를 위한 지원

☑ **빈곤과 기아 퇴치를 위한 노력**

지구촌 사람들은 ❸ [ㅂ][ㄱ]과 기아로 고통받는 사람들에게 돈과 물건, 식량 등을 지원합니다.

☑ **문화적 편견과 차별 해소 노력**

문화적 편견과 차별 해소를 위해 다른 문화를 ❹ [ㅈ][ㅈ]하고 이해해야 합니다.

정답 ❸ 빈곤 ❹ 존중

용어
사전

❋해소(解 풀 해 消 사라질 소)
어려운 일이나 문제가 되는 상태를 해결하여 없애 버림.

개념③ 지속가능한 미래를 위해 우리가 할 수 있는 일

1. 세계시민

① 세계시민은 지구촌 문제가 우리의 문제임을 알고 이를 해결하고자 협력하는 자세를 지닌 사람입니다.

② 우리는 세계시민으로서 책임감을 갖고 지구촌 문제를 해결하고자 노력해야 합니다.

2. 지속가능한 미래를 위해 우리가 실천할 수 있는 일들 예

① 집에서

에어컨을 적정 온도로 맞춰 전기 아끼기 | 물을 필요한 만큼만 사용하기 | 잘 안 입는 옷은 기부하기

② 슈퍼마켓에서

환경을 고려해 가까운 데서 생산된 과일 사기 | 지구촌 이웃을 돕는 모금 활동에 참여하기 | 일회용 비닐봉지 대신 장바구니 이용하기

→ 가까운 데서 생산된 과일은 이산화 탄소를 덜 배출합니다.

③ 학교에서

쓰레기를 분리배출하기 | 급식 남기지 않기 | 학용품 아껴 쓰기

→ 다양한 문화적 배경을 가진 친구들을 배려하기 위해 급식 메뉴에 채식 식단 추가를 건의할 수도 있습니다.

☑ 세계시민의 의미

세계시민은 ⑤ [지][ㄱ][ㅊ] 문제가 우리의 문제임을 알고 이를 해결하고자 노력하는 사람입니다.

☑ 지속가능한 미래를 위해 우리가 할 수 있는 일

지속가능한 미래를 위해 잘 사용하지 않는 물건은 ⑥ [지][ㅎ][ㅇ]할 수 있는 곳에 기부합니다.

정답 ⑤ 지구촌 ⑥ 재활용

내 교과서 살펴보기 / 김영사, 동아출판, 미래엔, 비상교과서, 아이스크림 미디어

세계시민으로서 실천할 수 있는 일
• 가까운 거리는 걸어갑니다.
• 빈곤과 기아 퇴치를 위한 벼룩시장을 엽니다.
• 지구촌에서 일어나는 일에 관심을 기울이고 캠페인에 참여합니다.

개념 다지기

11종 공통

1 다음 ☐ 안에 들어갈 알맞은 말을 쓰시오.

> 지구촌 사람들은 지속가능한 미래를 위해 현재 세대뿐만 아니라 ☐ 세대의 환경과 발전을 고려하여 책임감 있게 행동해야 합니다.

( )

11종 공통

2 지속가능한 미래를 위한 과제로 알맞지 <u>않은</u> 것은 어느 것입니까? ( )

① 기아 퇴치
② 빈곤 퇴치
③ 문화적 편견 해소
④ 경제적 소비 방식의 확산
⑤ 친환경적 생산 방식의 확산

11종 공통

3 빈곤과 기아 문제에 대해 잘못 말한 어린이를 쓰시오.

> 유선: 지구촌 인구의 10%가 기아 상태야.
> 연지: 빈곤과 기아 문제는 지구촌에 먹을 음식이 부족하기 때문에 나타나.
> 예림: 사람들은 빈곤과 기아 퇴치를 위해 교육 환경을 개선하려는 노력을 하고 있어.

( )

11종 공통

4 문화적 편견과 차별을 해소하기 위한 노력으로 알맞은 것을 보기에서 찾아 기호를 쓰시오.

> **보기**
> ㉠ 문화가 다른 친구들을 피합니다.
> ㉡ 우리나라 전통문화 체험 행사를 엽니다.
> ㉢ 지구 환경을 보호하자는 캠페인을 합니다.
> ㉣ 다문화 인구를 위해 취업, 교육 등을 지원합니다.

( )

11종 공통

5 다음에서 설명하는 것은 무엇인지 쓰시오.

> 지구촌 문제가 우리의 문제임을 알고 이를 해결하고자 협력하는 자세를 지닌 사람입니다.

( )

2 단원
진도 완료 체크

11종 공통

6 지구촌의 지속가능한 미래를 위해 우리가 실천할 수 있는 일로 알맞지 <u>않은</u> 것은 어느 것입니까? ( )

① 급식을 다 먹지 않고 남기기
② 물을 필요한 만큼만 사용하기
③ 가까운 데서 생산된 과일 사기
④ 지구촌 이웃을 돕는 모금 활동에 참여하기
⑤ 잘 안 입는 옷은 재활용할 수 있는 곳에 기부하기

Step ① 단원평가

[1~5] 다음은 개념 확인 문제입니다. 물음에 답하시오.

1 사람들이 버린 (종이 / 플라스틱) 쓰레기가 오랫동안 썩지 않아 생태계를 파괴하고 있습니다.

2 지구촌 사람들은 환경문제를 해결하기 위해 에너지를 (절약 / 낭비)하고 있습니다.

3 시민 단체는 환경문제를 해결하기 위해 사람들의 환경 보호 의식을 높이는 (환경 / 인권) 운동을 합니다.

4 지구촌 사람들이 현재뿐만 아니라 미래 세대의 환경과 발전을 고려하여 책임감 있게 행동할 때 다가올 미래를 무엇이라고 합니까?

(   )

5 지속가능한 미래를 위해 쓰레기를 버릴 때에는 (섞어서 / 분리하여) 배출합니다.

11종 공통

6 다음과 직접적으로 관련된 지구촌 환경문제는 무엇입니까? (   )

> 오늘날에는 배달과 배송으로 물건이나 음식을 받는 일이 많아졌습니다.

① 지구 온난화
② 열대 우림 파괴
③ 초미세 먼지 증가
④ 아프리카의 사막화
⑤ 과도한 쓰레기와 오염 물질 배출

11종 공통

7 환경문제를 해결하기 위해 개인이 할 수 있는 노력으로 알맞지 <u>않은</u> 것은 어느 것입니까? (   )

① 친환경 제품을 산다.
② 일회용품 사용을 줄인다.
③ 에너지 저효율 제품을 산다.
④ 올바른 방법으로 분리배출을 한다.
⑤ 사용하지 않는 전자 제품의 플러그를 뽑는다.

11종 공통

8 환경문제를 해결하기 위해 다음과 같은 노력을 하는 곳은 정부와 기업 중 어디인지 쓰시오.

비닐 대신 종이로 만든 포장재를 사용하고, 재사용할 수 있는 보랭 가방에 담아 배송을 해요.

(   )

11종 공통

9 지구촌 환경문제의 해결을 위해 정부만 할 수 있는 일은 어느 것입니까? (   )

① 친환경 기술 개발
② 기업의 활동 감시
③ 환경을 생각하는 소비
④ 환경 관련 법과 제도 제정
⑤ 환경 보호 의식을 높이는 캠페인

금성출판사, 김영사, 동아출판, 비상교과서, 비상교육

10 다음과 같은 일을 하는 비정부 기구는 어디입니까?

( )

- 멸종 위기에 있는 동물을 보호합니다.
- 일정 시간 불필요한 전등을 끄고 지구촌의 환경 문제를 생각해 보는 운동을 진행하기도 합니다.

① 해비타트
② 국제 앰네스티
③ 세계 자연 기금
④ 세이브 더 칠드런
⑤ 국경 없는 의사회

천재교육, 천재교과서, 금성출판사, 미래엔, 아이스크림 미디어

11 다음 그림의 인물이 '제로 웨이스트 숍'을 이용하는 까닭으로 알맞은 것을 두 가지 고르시오. (,)

저는 오늘 제로 웨이스트 숍에 가서 버려지는 과일을 이용해 만든 세제와 물비누를 병에 담아 왔어요.

① 상품이 무료이기 때문이다.
② 이용이 가장 편리하기 때문이다.
③ 쓰레기를 발생시키지 않기 때문이다.
④ 수질 오염과 토양 오염을 막을 수 있기 때문이다.
⑤ 제로 웨이스트 숍 이용이 법으로 정해져 있기 때문이다.

11종 공통

12 우리나라 기업과 정부가 다음과 같은 일을 하는 까닭은 무엇입니까? ( )

⚠ 물건과 식량 지원

⚠ 교육 지원

① 종교 갈등 문제를 해결하기 위해
② 지구촌 환경문제를 해결하기 위해
③ 빈곤과 기아 문제를 해결하기 위해
④ 문화적 편견 문제를 해결하기 위해
⑤ 우리나라의 인구 부족 문제를 해결하기 위해

11종 공통

13 지속가능한 미래를 위해 실천할 수 있는 일로 알맞지 않은 것을 보기에서 찾아 기호를 쓰시오.

보기
㉠ 급식을 남김없이 다 먹기
㉡ 가까운 데서 생산된 과일 구입하기
㉢ 급식 메뉴에 채식 식단 추가 건의하기
㉣ 여름철 실내 온도를 20℃~21℃로 맞추기

( )

11종 공통

14 세계시민으로서 우리가 실천할 수 있는 일로 알맞지 않은 것은 어느 것입니까? ( )
① 가까운 거리는 걸어간다.
② 학용품을 아껴 사용한다.
③ 세계의 다양한 문화를 체험한다.
④ 지구촌에서 일어나는 일에 관심을 기울인다.
⑤ 환경에 주는 영향과는 관계없이 무조건 싼 제품을 구입한다.

2
단원

15 다음은 지구촌 환경문제를 해결하기 위한 노력입니다. 11종 공통

⌃ 과대 포장 단속하기

(1) 위와 같은 노력을 하는 곳은 어디인지 쓰시오. (　　　　　　　)

(2) 위 ☐ 안에 들어갈 알맞은 내용을 쓰시오.

답 매장 내 ☐☐☐☐☐ 사용을 금지한다.

16 다음은 지속가능한 미래를 위해 노력하는 모습입니다. 11종 공통

• 기업 대표 ○○씨는 폐지나 돌가루, 코코넛 껍질과 같이 버려진 자원으로 만들어진 ☐☐ 용지만을 사용해 상품을 만듭니다.

• ☐☐ 용지를 이용하면 _____

(1) 위 ☐ 안에 공통으로 들어갈 알맞은 말을 쓰시오.

(　　　　　　　)

(2) 위의 밑줄 친 곳에 들어갈 알맞은 내용을 쓰시오.

_____

_____

17 지구촌에 기아 문제가 발생하는 원인을 두 가지 쓰시오. 11종 공통

_____

_____

15 (1) 정부에서는 환경 관련 법과 ☐☐를 만들어 개인과 기업이 이를 실천하도록 합니다.

(2) 플라스틱 쓰레기를 줄이려면 (일회용품 / 재활용품)의 사용을 늘려야 합니다.

16 (1) 환경문제를 해결하기 위해 (재생 / 일반) 용지를 많이 사용해야 합니다.

(2) 친환경적 생산을 하기 위해 자원을 (최소한 / 최대한)으로 사용하려고 노력해야 합니다.

17 오늘날 지구촌은 상위 1%의 부자가 지구촌 전체 부의 20%를 차지할 정도로 부와 식량의 ☐☐☐이 심각합니다.

단원 **실력 쌓기** 정답 14쪽

수행평가 가이드
다양한 유형의 수행평가!
수행평가 가이드를 이용해 풀어 봐!

학습 **주제** 지구촌의 환경문제

학습 **목표** 지구촌에서 나타나는 환경문제를 알 수 있다.

[18~20] 다음은 지구촌에서 나타나는 환경문제입니다.

㉠	㉡	㉢
무너져 내리는 빙하	플라스틱 조각들로 이루어진 태평양의 쓰레기 섬	세계 여러 공장에서 내뿜는 오염 물질

지구촌 곳곳에서 나타나는 환경 문제의 원인

지구 온난화	지나친 온실가스의 배출로 나타남.
열대 우림 파괴	무분별한 개발로 나타남.
과도한 쓰레기 배출	사람들이 함부로 플라스틱 쓰레기를 버리기 때문에 나타남.
초미세 먼지 증가	공장이나 자동차의 오염 물질로 발생함.

2 단원

진도 완료 체크

18 위 ㉠의 원인이 되는 환경문제를 다음을 참고하여 쓰시오. 11종 공통

> 지구의 평균 기온이 지난 100년 동안 꾸준히 상승했습니다.

(   )

천재교육, 천재교과서, 금성출판사, 김영사, 동아출판, 미래엔, 비상교과서, 아이스크림 미디어, 지학사

19 다음은 ㉢의 환경문제가 지속되면서 일어나는 일입니다. ☐ 안에 들어갈 알맞은 말을 보기 에서 찾아 쓰시오.

> 공기 중 ☐ 의 농도가 증가하여 호흡기 질환과 같은 여러 질병을 일으키고 있습니다.

보기
- 산소   • 이산화 탄소   • 초미세 먼지

(   )

11종 공통

20 위와 같은 환경문제를 해결하기 위해 지구촌 전체가 노력해야 하는 까닭을 쓰시오.

_____

_____

> 지구촌 환경문제는 사람들이 필요 이상으로 자원과 에너지를 많이 사용하기 때문에 나타나.

Q 배점 표시가 없는 문제는 문제당 4점입니다.

11종 공통

1 한반도의 미래와 통일

11종 공통

1 다음 섬에 대한 설명으로 알맞지 <u>않은</u> 것은 어느 것입니까? ( )

▲ 독도

① 우리나라 영토의 동쪽 끝에 있다.
② 행정구역상 경상북도 울릉군 울릉읍에 속한다.
③ 선박의 항로, 방어 기지로서 중요한 위치에 있다.
④ 일본의 오키섬보다 울릉도와의 거리가 더 가깝다.
⑤ 북도와 남도 두 개의 큰 섬과 89개의 작은 섬으로 이루어져 있다.

11종 공통

2 독도에서 볼 수 있는 '탕건봉'의 모습은 어느 것입니까? ( )

① ②

③ ④

11종 공통

3 다음에서 설명하는 독도에 대한 옛 기록은 무엇입니까? ( )

독도(석도)를 울릉도(울도군) 관할로 두었다는 내용이 담겨 있습니다.

① 「태정관 지령」
② 『세종실록』「지리지」
③ 「대한 제국 칙령 제41호」
④ 『신증동국여지승람』「팔도총도」
⑤ 「연합국 최고 사령관 각서 제677호」

🗂 서술형·논술형 문제

11종 공통

4 다음 두 지도를 통해 알 수 있는 점을 쓰시오. [10점]

• 일본의 「대일본전도」
• 조선의 『신증동국여지승람』「팔도총도」

_____

_____

11종 공통

5 다음은 남북 분단의 문제점 중 하나입니다. ☐ 안에 들어갈 알맞은 말을 쓰시오.

남북 분단으로 인해 ☐☐☐에 대한 불안감이 조성되어 세계 평화에 부정적인 영향을 주고 있습니다.

( )

6 서술형·논술형 문제   11종 공통

다음 두 낱말을 이용하여 남북통일이 되면 얻을 수 있는 경제적 이득을 쓰시오. [8점]

> • 국방비   • 북한의 풍부한 자원

_____

_____

11종 공통

7 다음 중 통일을 위한 사회·문화적 노력에 해당하는 것은 어느 것입니까? (　　　)

①
▲ 남북 이산가족 상봉

②
▲ 6·15 남북 공동 선언

③
▲ 개성 공업 지구 운영

④
▲ 경의선 및 동해선 철도· 도로 연결 착공식

2   지구촌의 평화와 발전

11종 공통

8 지구촌 갈등과 그 원인이 바르게 연결된 것은 어느 것입니까? (　　　)

① 포클랜드 분쟁 – 종교 갈등
② 에티오피아 내전 – 독재 정치와 종교 문제
③ 시리아 내전 – 석유 매장 지역을 둘러싼 분쟁
④ 카슈미르 분리 분쟁 – 파키스탄과 인도의 영토 분쟁
⑤ 이스라엘과 팔레스타인 분쟁 – 북극해 지역을 둘러싼 갈등

11종 공통

9 다음은 지구촌 갈등이 사라지지 않는 까닭입니다. (　　　) 안의 알맞은 말에 각각 ○표를 하시오. [6점]

> 지구촌 갈등이 사라지지 않는 까닭은 각 나라가 자신의 ❶(이익 / 손해)을/를 가장 먼저 생각하고, 역사적으로 오랫동안 갈등이 반복되어 갈등 문제를 해결하기 ❷(쉽기 / 어렵기) 때문입니다.

11종 공통

10 다음에서 설명하는 국제기구에 대한 내용으로 알맞지 않은 것은 어느 것입니까? (　　　)

[출처: ⓒblurAZ / Shutterstock]

• 대표적인 국제기구입니다.
• 1945년 지구촌의 평화 유지와 전쟁 방지 등을 위해 만들어졌습니다.

① 이름은 국제 연합(UN)이다.
② 평화를 상징하는 파란색을 상징물에 사용한다.
③ 지구촌 갈등 문제를 해결하려고 노력하고 있다.
④ 뜻이 비슷한 개인들이 모여 지구촌 문제를 해결하기 위해 활동하고 있다.
⑤ 국제 연합 난민 기구, 세계 식량 계획, 국제 연합 아동 기금 등의 기구를 두고 있다.

🔖 서술형·논술형 문제   11종 공통

11 다음 두 단체의 공통점을 쓰시오. [10점]

⬆ 국제 연합 아동 기금(UNICEF)

⬆ 세이브 더 칠드런

_____

_____

11종 공통

12 다음 비정부 기구의 활동을 찾아 바르게 줄로 이으시오.
[6점]

(1) 그린피스 •
(2) 해비타트 •
(3) 국제 앰네스티 •

• ㉠ 터전을 잃은 사람들에게 집을 지어 줌.

• ㉡ 핵실험 반대, 자연 보호 운동 등을 함.

• ㉢ 부당하게 인권을 탄압받는 사람들의 인권을 보호함.

천재교육, 천재교과서, 금성출판사

13 지뢰 금지 국제 운동 단체를 만든 사람은 누구인지
[보기]에서 찾아 ○표를 하시오.

┌─ 보기 ──────────────┐
│ • 조디 윌리엄스   • 말랄라 유사프자이 │
└─────────────────────┘

---

3 지속가능한 지구촌

11종 공통

14 오늘날 다음과 같은 환경문제가 발생하는 까닭은 무엇입니까? ( )

⬆ 파괴되고 있는 브라질 아마존의 열대 우림

① 지구 온난화
② 과도한 지역 개발
③ 이산화 탄소의 증가
④ 플라스틱 쓰레기의 증가
⑤ 초미세 먼지의 농도 증가

천재교육, 천재교과서, 교학사, 김영사, 동아출판,
미래엔, 비상교과서, 아이스크림 미디어, 지학사

15 대기 오염으로 초미세 먼지가 증가할 때 일어나는 일은 어느 것입니까? ( )

① 아프리카의 사막화가 진행된다.
② 플라스틱 쓰레기가 많이 배출된다.
③ 넓은 면적의 열대 우림이 사라진다.
④ 호흡기 질환을 앓는 사람들이 많아진다.
⑤ 땅의 일부가 바닷물에 잠기는 나라가 생긴다.

16

지구촌 환경문제를 해결하기 위한 기업의 노력으로 알맞지 않은 것은 어느 것입니까? (   )

① 과대 포장을 단속한다.
② 종이로 만든 포장재를 사용한다.
③ 비닐 포장이 없는 제품을 만든다.
④ 에너지 고효율 가전제품을 개발한다.
⑤ 재사용할 수 있는 보랭 가방에 담아 배송한다.

17

환경문제의 해결을 위해 다음과 같이 노력하는 기구를 보기 에서 찾아 쓰시오.

> 지구 온난화로 나타난 기후 변화와 해양 오염, 열대 우림 파괴 등의 환경문제를 조사하여 심각성을 알리는 일을 합니다.

보기
• 그린피스   • 세계 식량 계획

(   )

18

빈곤과 기아 문제가 발생하는 까닭에 대해 바르게 말한 어린이를 쓰시오.

> 윤주: 세계의 음식은 충분하고 누구에게나 공평하게 분배되고 있어.
> 민정: 빈곤과 기아 문제가 발생하는 까닭은 게으른 사람들이 많기 때문이야.
> 소윤: 자연재해와 전쟁 등으로 터전을 잃고 물과 식량이 부족해진 사람들도 많아.

(   )

19

다음은 공통적으로 어떤 문제를 해결하기 위한 노력인지 알맞게 말한 어린이를 쓰시오.

△ 지구촌 다문화 체험 행사   △ 다문화 인구를 위한 지원

> 운용: 빈곤과 기아를 퇴치하기 위한 노력이야.
> 소희: 다른 문화에 대한 편견과 차별을 없애기 위한 노력이야.

(   )

2 단원

진도 완료 체크

20

우리가 세계시민으로서 다음과 같이 행동하는 까닭으로 알맞은 것은 어느 것입니까? (   )

우리 학교 급식 메뉴에 채식 식단을 추가해 달라고 건의하자.

① 살을 빼기 위해
② 초미세 먼지를 줄이기 위해
③ 선생님께 칭찬을 듣기 위해
④ 플라스틱 쓰레기를 줄이기 위해
⑤ 다양한 문화적 배경을 가진 친구들을 배려하기 위해

독도의 자연환경

독도의 동식물

독도 사철나무

[출처: 연합뉴스]

천연기념물 제538호로 지정된
독도 사철나무

괭이갈매기

[출처: 연합뉴스]

독도를 대표하는 괭이갈매기

섬기린초

[출처: 연합뉴스]

독도와 울릉도에서만 자라는
섬기린초

독도 | 홀로 독 獨 | 섬 도 島 |

우리나라 영토의 동쪽 끝에 있는 섬으로,
동도와 서도 두 개의 큰 섬과 89개의 작은
섬으로 이루어져 있음.

[출처: 연합뉴스]

독도의 지형

탕건봉

천장굴

코끼리 바위

문제 읽을 준비는
저절로 되지 않습니다.

문해력을 키우는 시간

하루
10분

똑똑한 하루 국어 시리즈

문제풀이의 핵심, 문해력을 키우는 승부수

예비초~초6 각A·B
교재별14권

예비초 A·B, 초1~초6: 1A~4C
총 14권

온라인 학습북
포인트 **3**가지

▶ 「**개념 동영상 강의**」로 교과서 핵심만 정리!

▶ 「**서술형 문제 동영상 강의**」로 사고력도 향상!

▶ 「**온라인 성적 피드백**」으로 단원별로 내가 부족한 부분 꼼꼼하게 체크!

우등생 온라인 학습북 활용법

home.chunjae.co.kr

온라인 강의

개념 / 서술형 · 논술형 평가 / 단원평가

온라인 학습 스케줄 관리

맞춤형 홈스쿨링 스케줄표 제공

온라인 채점과 성적 피드백

정답을 입력하면 채점과 성적 분석까지

단원평가의 답을 입력하여 제출하면
틀린 문제에 대한 피드백과 동영상 강의 제공!

우등생 사회 6-2
홈스쿨링 스피드 스케줄표(10회)

스피드 스케줄표는 온라인 학습북을 10회로 나누어
빠르게 공부하는 학습 진도표입니다.

1. 세계의 여러 나라들

1회 온라인 학습북 4~9쪽	**2**회 온라인 학습북 10~15쪽	**3**회 온라인 학습북 16~21쪽
월 일	월 일	월 일

1. 세계의 여러 나라들 / 2. 통일 한국의 미래와 지구촌의 평화

4회 온라인 학습북 22~25쪽	**5**회 온라인 학습북 26~29쪽	**6**회 온라인 학습북 30~35쪽
월 일	월 일	월 일

2. 통일 한국의 미래와 지구촌의 평화

7회 온라인 학습북 36~41쪽	**8**회 온라인 학습북 42~47쪽	**9**회 온라인 학습북 48~51쪽
월 일	월 일	월 일

2. 통일 한국의 미래와 지구촌의 평화

10회 온라인 학습북 52~55쪽
월   일

스피드
스케줄표
바로가기

차례

1 다음 공간 자료에 대한 설명으로 알맞은 것은 어느 것입니까? (   )

⚠ 지구본   ⚠ 세계지도

① ㉠은 확대와 축소가 자유롭다.

② ㉡은 지구의 실제 모습과 같다.

③ ㉠, ㉡은 최신 정보가 빠르게 반영된다.

④ ㉡은 편리하게 가지고 다니며 사용할 수 있다.

⑤ ㉠은 인터넷이 연결되는 환경에서만 사용할 수 있다.

2 다음 질문에 대한 대답을 알맞게 쓴 어린이는 누구입니까? (   )

> 북위와 남위를 나누는 기준이 되는 선은 무엇입니까?

① 경선   ② 적도

③ 본초 자오선   ④ 서경

3 디지털 영상 지도에서 어떤 장소의 실제 모습을 여러 각도에서 살펴보기 위해 눌러야 하는 단추는 어느 것입니까? (   )

① ⊙   ② ⬦

③ ◇ 지도 유형   ④ ±

⑤ ▭▭▭

천재교육

4 디지털 지구본에 대한 설명으로 알맞은 것에 ○표를 하시오.

(1) 컴퓨터로는 이용할 수 없습니다.   (   )

(2) 장소의 모습을 입체 영상(3D)으로 실감 나게 볼 수 있습니다.   (   )

천재교과서, 동아출판

5 다음 그림은 세계 여러 나라를 소개하는 자료를 만드는 과정 중 어느 것에 해당합니까? (   )

① 발표하기

② 조사하기

③ 주제 정하기

④ 소개 자료 만들기

⑤ 조사 후 느낀 점 말하기

차례

❶ 다양한 공간 자료

지구본

실제 지구의 모습을 작게 줄인 모형

↳ 영토 모양이 실제와 비슷하게 나타남.

세계지도

둥근 지도를 평면으로 나타낸 것

↳ 세계 여러 나라의 위치와 영역을 한눈에 살펴볼 수 있음.

디지털 영상 지도

항공 사진과 위성 영상 정보를 이용해 만든 지도

↳ 확대와 축소가 자유롭고, 최신 정보가 빠르게 반영됨.

＊ 중요한 내용을 정리해 보세요!

● 지구본의 장점은?

● 세계지도의 장점은?

● 디지털 영상 지도의 장점은?

개념 확인하기

정답 17쪽

🌱 다음 문제를 읽고 답을 찾아 ☐ 안에 ✔표를 하시오.

1 둥근 모양이라 한눈에 보기 어렵고, 가지고 다니기 불편하다는 단점을 가진 공간 자료는 무엇입니까?

㉠ 지구본 ☐   ㉡ 세계지도 ☐

2 세계지도에 대한 설명으로 알맞은 것은 어느 것입니까?

㉠ 둥근 지구를 평면으로 나타냈다. ☐

㉡ 실제 지구의 모습을 줄인 모형이다. ☐

3 지구본과 세계지도에 공통적으로 표시되어 있는 것은 무엇입니까?

㉠ 위선과 경선 ☐   ㉡ 나라별 인구 수 ☐

4 디지털 영상 지도의 특징으로 알맞은 것은 어느 것입니까?

㉠ 지도를 확대하거나 축소할 수는 없다. ☐

㉡ 컴퓨터나 스마트폰에서 이용할 수 있다. ☐

5 디지털 영상 지도에서 사용할 수 있는 기능으로 알맞은 것은 어느 것입니까?

㉠ 경로 검색 기능 ☐   ㉡ 사진 촬영 기능 ☐

❷ 세계의 대양과 대륙

좁은 면적에 비해 많은 나라가 있음.
유럽

면적이 가장 넓음.
아시아

세계에서 가장 큰 섬인 그린란드를 포함함.
북아메리카

북극해

대서양

대서양

인도양

태평양

가장 큰 대양

아프리카
아시아 다음으로 면적이 넓음.

남극 대륙

오세아니아
면적이 가장 좁음.

남극해

남아메리카
대부분이 남반구에 속함.

☀ 중요한 내용을 정리해 보세요!

● 세계의 주요 대양은?

● 세계의 주요 대륙은?

1 단원

개념 확인하기

정답 17쪽

✍ 다음 문제를 읽고 답을 찾아 ☐ 안에 ✔표를 하시오.

1 가장 큰 대양의 이름은 무엇입니까?

㉠ 인도양 ☐ ㉡ 북극해 ☐ ㉢ 태평양 ☐

2 인도양에 대한 설명으로 알맞은 것은 어느 것입니까?

㉠ 세 번째로 큰 대양이다. ☐

㉡ 대부분 얼음에 덮여 있다. ☐

㉢ 아시아, 유럽, 아메리카 대륙 사이에 있다. ☐

3 두 번째로 면적이 넓은 대륙은 어디입니까?

㉠ 아프리카 ☐ ㉡ 남아메리카 ☐

4 북아메리카에 대한 설명으로 알맞은 것은 어느 것입니까?

㉠ 남반구에 속해 있다. ☐

㉡ 북쪽에는 유럽 대륙이 있다. ☐

㉢ 태평양과 대서양 사이에 있다. ☐

5 우리나라가 속해 있는 대륙은 어디입니까?

㉠ 유럽 ☐ ㉡ 아시아 ☐

1 다음 공간 자료에 대한 설명으로 알맞은 것은 어느 것입니까? (　　　)

▲ 지구본　　　　▲ 세계지도

① ㉠은 확대와 축소가 자유롭다.
② ㉡은 지구의 실제 모습과 같다.
③ ㉠, ㉡은 최신 정보가 빠르게 반영된다.
④ ㉡은 편리하게 가지고 다니며 사용할 수 있다.
⑤ ㉠은 인터넷이 연결되는 환경에서만 사용할 수 있다.

2 다음 질문에 대한 대답을 알맞게 쓴 어린이는 누구입니까? (　　　)

> 북위와 남위를 나누는 기준이 되는 선은 무엇입니까?

① 경선
② 적도
③ 본초 자오선
④ 서경

3 디지털 영상 지도에서 어떤 장소의 실제 모습을 여러 각도에서 살펴보기 위해 눌러야 하는 단추는 어느 것입니까? (　　　)

①　②
③ 지도 유형　④ +　−
⑤

천재교육

4 디지털 지구본에 대한 설명으로 알맞은 것에 ○표를 하시오.
(1) 컴퓨터로는 이용할 수 없습니다.　(　　　)
(2) 장소의 모습을 입체 영상(3D)으로 실감 나게 볼 수 있습니다.　(　　　)

천재교과서, 동아출판

5 다음 그림은 세계 여러 나라를 소개하는 자료를 만드는 과정 중 어느 것에 해당합니까? (　　　)

남아메리카에 있는 나라를 조사해 보면 어떨까?

면적이 가장 넓은 나라를 조사해 보자.

① 발표하기
② 조사하기
③ 주제 정하기
④ 소개 자료 만들기
⑤ 조사 후 느낀 점 말하기

6 다음에서 설명하는 것을 줄로 바르게 이으시오.

(1) 대양 • • ㉠ 넓은 면적을 차지하는 큰 바다

(2) 대륙 • • ㉡ 바다로 둘러싸인 큰 땅덩어리

7 다음 대양에 대한 설명으로 알맞은 것은 어느 것입니까?
( )

① 가장 큰 대양이다.
② 가장 작은 대양이다.
③ 남극 대륙을 둘러싸고 있다.
④ 아시아, 유럽, 북아메리카 대륙에 둘러싸여 있다.
⑤ 아메리카, 유럽, 아프리카 대륙 사이에 위치한다.

8 다음 나라들이 속해 있는 대륙을 보기 에서 찾아 ○표를 하시오.

| • 뉴질랜드 | • 키리바시 | • 파푸아 뉴기니 |

보기
| • 유럽 | • 남아메리카 | • 오세아니아 |

천재교육, 금성출판사, 김영사, 비상교과서, 지학사

9 아프리카 대륙에서 볼 수 없는 것은 어느 것입니까?
( )

①
▲ 피라미드(이집트)

②
▲ 고비 사막(몽골, 중국)

③
▲ 케이프타운 월드컵 경기장
(남아프리카 공화국)

④
▲ 세렝게티 국립 공원
(탄자니아)

1
단원

교학사, 금성출판사, 김영사, 동아출판, 미래엔, 비상교과서

10 다음에서 설명하는 나라는 어디입니까? ( )

• 영토의 모양이 코끼리와 비슷합니다.
• 아시아 대륙에 속해 있는 나라입니다.

① 타이
② 이탈리아
③ 소말리아
④ 짐바브웨
⑤ 노르웨이

연습 🦉 도움말을 참고하여 내 생각을 차근차근 써 보세요.

1 다음은 세계 여러 나라의 지리 정보가 담긴 자료입니다. [총 8점]

(1) 다음 위의 자료에 대한 설명에서 ☐ 안에 공통으로 들어갈 알맞은 말을 쓰시오. [2점]

> 위의 자료는 둥근 지구를 평면으로 나타낸 것으로, ☐☐☐라고 합니다. ☐☐☐는 세계 여러 나라의 위치를 한눈에 살펴볼 수 있지만, 둥근 지구를 평면으로 나타낸 것이기 때문에 실제 모습과 다른 점이 있습니다.

( )

(2) 위의 자료에서 가로로 그은 선과 세로로 그은 선이 있는 까닭을 쓰시오. [6점]

> 🦉 위선과 경선의 사용 목적을 생각하며 써 보세요.
> **꼭 들어가야 할 말** 위치 / 나타내다

_____

_____

2 다음은 디지털 영상 지도입니다. [총 10점]

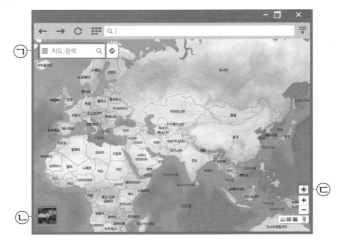

(1) 위 디지털 영상 지도에서 내 위치를 검색할 수 있는 기능을 찾아 기호를 쓰시오. [2점]

( )

(2) 다음 어린이가 이야기한 기능과 관련 있는 것의 기호를 쓰시오. [2점]

> 현주: 찾고자 하는 장소를 입력해 지도에서 위치를 찾고 싶어요.

( )

(3) 위와 같은 디지털 영상 지도가 세계지도, 지구본과 비교하여 다른 점을 쓰시오. [6점]

_____

_____

_____

3 다음은 대양과 대륙을 나타낸 세계지도입니다. [총 10점]

(1) 위의 지도에서 대양을 모두 찾아 쓰시오. [2점]

(   )

(2) 다음에 해당하는 대륙을 위 지도에서 찾아 각각 쓰시오.

[2점]

가장 큰 대륙	㉠
가장 작은 대륙	㉡

(3) 위 지도를 참고하여 태평양의 특징을 쓰시오. [6점]

_____

_____

4 다음은 세계 여러 나라들의 영토 모양입니다. [총 10점]

(1) 다음 설명과 관련 있는 나라의 기호를 쓰시오. [2점]

> 해안선이 복잡합니다.

(   )

(2) 위 ㉡과 ㉣의 영토 모양의 공통점을 알맞게 말한 어린이를 쓰시오. [2점]

> 태환: 영토가 남북으로 길게 뻗어 있네.
> 지윤: 국경선이 비교적 단조로운 나라들이야.

(   )

(3) 위 ㉠~㉣을 보고, 세계의 영토 모양에 대해 알 수 있는 것을 한 가지만 쓰시오. [6점]

_____

_____

❶ 세계의 다양한 기후

열대 기후 지역
• 화전 농업을 하거나 농장에서 열대작물을 재배함.
• 관광 산업이 발달함.

건조 기후 지역
• 사막에서는 오아시스 주변에서 농사를 지음.
• 초원에서는 유목 생활을 함.

기후에 따른 생활 모습

온대 기후 지역
• 벼농사나 밀농사를 지음.
• 지중해 주변에서는 올리브, 오렌지, 레몬 등을 재배함.

냉대 기후 지역
• 목재와 펄프를 생산함.
• 여름에는 밀, 보리, 감자 등을 재배함.

✳ 중요한 내용을 정리해 보세요!

● 열대 기후 지역과 건조 기후 지역의 생활 모습은?

● 온대 기후 지역과 냉대 기후 지역의 생활 모습은?

개념 확인하기

정답 19쪽

🍃 다음 문제를 읽고 답을 찾아 ☐ 안에 ✔표를 하시오.

1 열대 기후 지역에서 볼 수 있는 모습으로 알맞은 것은 어느 것입니까?

ㄱ 낙타를 타고 이동한다. ☐

ㄴ 농장에서 커피를 재배한다. ☐

2 건조 기후 지역에서 볼 수 있는 자연환경은 무엇입니까?

ㄱ 사막 ☐   ㄴ 침엽수림 ☐

3 지중해 주변에서 주로 재배하는 작물은 무엇입니까?

ㄱ 레몬 ☐   ㄴ 카사바 ☐

4 온대 기후 지역에서 벼농사가 발달한 까닭은 무엇입니까?

ㄱ 여름 강수량이 많기 때문에 ☐

ㄴ 일 년 내내 비가 거의 오지 않기 때문에 ☐

5 냉대 기후 지역에서 발달한 산업은 무엇입니까?

ㄱ 화훼 농업 ☐   ㄴ 펄프 산업 ☐

❷ 세계 여러 나라 사람들의 생활 모습

✱ 중요한 내용을 정리해 보세요!

● 세계 여러 나라 사람들의 의식주 생활 모습은?

● 세계 여러 나라 사람들의 다양한 생활 모습에 영향을 미치는 요소는?

사람들의 생활 모습은 자연환경과 인문환경의 영향을 받기 때문에 다양하게 나타남.

개념 확인하기

정답 19쪽

◎ 다음 문제를 읽고 답을 찾아 ☐ 안에 ✔표를 하시오.

1 사막 지역에 사는 사람들의 의생활에 영향을 준 것은 무엇입니까?

㉠ 직업 ☐   ㉡ 언어 ☐   ㉢ 기후 ☐

2 고산 기후 지역에서 판초를 입는 까닭은 무엇입니까?

㉠ 여름 강수량이 많기 때문에 ☐

㉡ 일교차가 커서 체온 유지를 위해 ☐

㉢ 덥고 습한 기후가 나타나기 때문에 ☐

3 옥수수 생산량이 많은 멕시코에서 주로 먹는 음식은 무엇입니까?

㉠ 타코 ☐   ㉡ 나시고렝 ☐

4 초원 지역에서 이동 생활을 위해 짓는 집의 이름은 무엇입니까?

㉠ 게르 ☐   ㉡ 고상 가옥 ☐

5 사람들의 생활 모습이 다양하게 나타나는 까닭은 무엇입니까?

㉠ 나라마다 자연환경이 같기 때문에 ☐

㉡ 나라마다 인문환경이 다르기 때문에 ☐

1 다음 ☐ 안에 들어갈 알맞은 말을 두 가지 고르시오.
(,)

> 한 지역에서 여러 해에 걸쳐 일정하게 나타나는 평균적인 날씨를 기후라고 합니다. 세계의 주요 기후는 그 지역의 ☐☐☐ 등에 따라 구분합니다.

① 기온   ② 인구
③ 종교   ④ 풍습
⑤ 강수량

2 다음 그림의 (가) 지역에 사는 사람들의 생활 모습으로 알맞은 것에 ○표를 하시오.

(1) ( )   (2) ( )

3 건조 기후와 관련 있는 것으로 알맞지 <u>않은</u> 것은 어느 것입니까? ( )
① 흙벽돌집   ② 관개 농업
③ 유목 생활   ④ 대추야자 재배
⑤ 높은 해발 고도

비상교과서, 비상교육

4 다음에서 설명하는 기후와 관련 있는 생활 모습으로 가장 알맞은 것은 어느 것입니까? ( )

> 사계절의 변화가 비교적 뚜렷하고 온화하며 강수량이 풍부합니다.

① ▲ 화전 농업을 함.   ② ▲ 유목 생활을 함.

③ ▲ 천연자원의 개발이 이루어짐.   ④ ▲ 화훼 농업을 함.

천재교과서, 비상교과서, 비상교육

5 한대 기후의 일부 지역에서 고상 가옥을 지어 생활하는 까닭으로 알맞은 것은 어느 것입니까? ( )
① 종교의 영향을 받았기 때문에
② 모래바람이 많이 불기 때문에
③ 간단히 설치하고 해체할 수 있기 때문에
④ 주변에서 나무를 쉽게 구할 수 있기 때문에
⑤ 여름철에 땅이 녹아 집이 기울어질 수 있기 때문에

[6~7] 다음은 세계 여러 나라의 의식주 생활 모습입니다.

△ 사리

△ 타코

6 위 ㉠, ㉡과 가장 관련 있는 나라를 보기 에서 찾아 각각 쓰시오.

> 보기
> • 타이　　• 인도　　• 영국　　• 멕시코

㉠ (　　　　　　　　　)

㉡ (　　　　　　　　　)

천재교육, 천재교과서, 교학사, 김영사, 동아출판,
미래엔, 비상교과서, 비상교육, 지학사

7 위 ㉠에 영향을 준 것으로 알맞은 것은 어느 것입니까?

(　　　　　)

① 언어　　　　　② 종교
③ 인종　　　　　④ 지형
⑤ 직업

천재교육, 김영사, 비상교과서, 비상교육

8 오른쪽과 같은 옷을 주로 입는 지역
의 기후로 알맞은 것은 어느 것입니
까? (　　　　)

① 비가 자주 온다.
② 기온이 매우 낮다.
③ 기온이 높고 습하다.
④ 일 년 내내 건조하다.
⑤ 낮과 밤의 일교차가 크다.

천재교과서, 김영사, 동아출판, 미래엔, 비상교육

9 다음과 같은 생활 모습에 대한 설명으로 알맞은 것은
어느 것입니까? (　　　　　)

△ 시에스타

① 낮이 짧고 추운 기후와 관련이 있다.
② 이슬람교를 믿는 사람들과 관련이 있다.
③ 하루동안 물과 음식을 먹지 않는 풍습이다.
④ 일정한 기간 동안 인도 사람들이 행하는 풍습이다.
⑤ 유럽의 일부 나라에서 점심 식사 후 휴식을 취
하는 문화이다.

천재교육, 김영사, 동아출판, 비상교과서,
비상교육, 아이스크림 미디어

10 다음 나라와 관련 있는 축제를 바르게 줄로 이으시오.

(1) 러시아　•　　　•㉠ 레몬 축제

(2) 타이　•　　　•㉡ 송끄란

(3) 프랑스　•　　　•㉢ 백야 축제

연습 🐱 도움말을 참고하여 내 생각을 차근차근 써 보세요.

1 다음은 세계의 기후 분포를 나타낸 지도입니다.

[총 8점]

(1) 위와 같은 기후 분포가 나타나는 까닭에 대한 설명으로 알맞은 것에 각각 ○표를 하시오. [2점]

> 적도는 태양과 거리가 가까워 같은 면적에 받는 태양의 열이 ㉠ (적고 / 많고), 극으로 갈수록 태양빛을 비스듬히 받아 같은 면적에 받는 태양열이 ㉡ (적기 / 많기) 때문입니다.

(2) 위의 지도에서 세계의 기후는 어떻게 분포되어 있는지 쓰시오. [6점]

> 🐱 적도 지방에서 극지방으로 가면서 어떤 기후가 분포되어 있는지 생각해서 써 보세요.
> [꼭 들어가야 할 말] 열대 / 건조 / 온대 / 냉대 / 한대

_____

_____

2 다음은 어떤 기후의 분포를 나타낸 지도입니다. [총 10점]

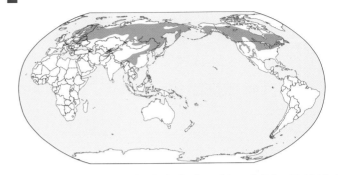

(1) 위 지도에서 표시된 지역에 분포하는 기후는 무엇인지 쓰시오. [2점]

(   )

(2) 위의 기후가 나타나는 지역에서 볼 수 있는 집의 기호를 쓰시오. [2점]

🔺 흙벽돌집

🔺 이즈바

(   )

(3) 오른쪽 사진과 관련하여 위의 기후가 인간 생활에 미친 영향을 쓰시오. [6점]

🔺 침엽수림

_____

_____

3 다음은 세계 여러 나라 사람들의 생활 모습입니다.

[총 10점]

ㄱ 우리나라는 자동차 운전석이 오른쪽에 있어.

ㄴ 우리나라는 소고기를 먹지 않아.

(1) 위 ㄱ과 관련 있는 나라를 보기 에서 찾아 쓰시오. [2점]

보기
• 독일   • 영국   • 미국   • 그리스

(   )

(2) 위 ㄴ의 밑줄 친 부분에 대해 알맞게 말한 어린이를 쓰시오. [2점]

상원: 소를 키우기 힘든 자연환경의 영향 때문이야.
여름: 소를 신성하게 여기는 힌두교의 영향을 받았기 때문이야.

(   )

(3) 다른 나라의 생활 모습을 대할 때 가져야 할 바람직한 태도를 쓰시오. [6점]

_____

_____

4 다음은 사우디아라비아 사람들의 옷차림에 대해 작성한 조사 보고서입니다. [총 8점]

〈사우디아라비아 사람들의 옷차림〉

지형과 기후	국토의 90%가 사막으로 이루어진 사우디아라비아는 건조 기후에 속한다. 이 지역에 사는 사람들은 강한 햇빛과 모래바람으로부터 몸을 보호하기 위해 온몸을 감싸는 길고 헐렁한 옷을 입는다.	ㄱ
종교	이슬람교를 주로 믿는다. 이슬람교에서는 무릎이나 어깨를 가리는 단정한 옷차림을 권한다.	
그 밖의 생활 모습	• 오아시스 주변에서 밀과 대추야자 등을 재배한다. • 주변에서 구하기 쉬운 흙으로 벽돌을 만들어 집을 짓는다.	
결론	길고 헐렁한 옷은 사우디아라비아의 지형, 기후, 종교에 적합한 옷차림이다. 사람들의 생활 모습이나 옷차림은 _____ㄴ_____	

(1) 위 ㄱ에 들어갈 사우디아라비아 사람들의 옷차림으로 알맞은 것의 기호를 쓰시오. [2점]

(가)   (나)

(   )

(2) 다음 낱말을 이용하여 위 밑줄 친 ㄴ에 들어갈 내용을 쓰시오. [6점]

• 나라   • 환경   • 영향

_____

_____

❶ 우리나라와 이웃 나라의 생활 모습

1단원

러시아 문자
Корея

포크, 칼 사용

유럽과 비슷한 생활모습이 나타남.

러시아

교류

유럽

교류

교류

중국　대한민국

교류

일본

오래전부터 교류하며 서로 영향을 주고 받았음.

한자의 영향
漢字

젓가락 사용

불교 문화

✷ 중요한 내용을 정리해 보세요!

● 우리나라, 중국, 일본의 생활 모습의 비슷한 점은?

● 러시아의 생활 모습은?

개념 확인하기

정답 21쪽

🍃 다음 문제를 읽고 답을 찾아 ☐ 안에 ✔표를 하시오.

1 다음 중 우리나라와 지리적으로 가까운 이웃 나라는 어디입니까?

㉠ 미국 ☐　　㉡ 일본 ☐　　㉢ 프랑스 ☐

2 우리나라와 중국, 일본에 대한 설명으로 알맞은 것은 어느 것입니까?

㉠ 교류를 시작한 지 얼마 되지 않았다. ☐

㉡ 인접한 위치에 있어 오래전부터 교류했다. ☐

3 우리나라 식사 도구의 특징으로 알맞은 것은 어느 것입니까?

㉠ 금속 젓가락을 주로 사용한다. ☐

㉡ 끝이 뾰족한 젓가락을 사용한다. ☐

4 러시아에서 주로 사용하는 식사 도구는 무엇입니까?

㉠ 포크 ☐　　　　㉡ 젓가락 ☐

5 러시아의 생활 모습에 영향을 준 대륙은 어디입니까?

㉠ 유럽 ☐　　　　㉡ 오세아니아 ☐

② 우리나라와 이웃 나라의 교류

경제적 교류
· 무역을 함.
· 에너지망을 구축함

인적 교류
· 이웃 나라 사람과 결혼함.
· 이웃 나라에 일자리를 구함.

문화적 교류
· 유학을 감.
· 문화 교류 행사를 개최함.

정치적 교류
정상 회담을 함.

우리 나라

이웃 나라

오늘날 교통·통신의 발달과 함께 교류가 증가하고 있음.

✳ 중요한 내용을 정리해 보세요!

● 우리나라와 이웃 나라의 교류 사례는?

● 우리나라와 이웃 나라의 교류가 증가하는 까닭은?

1 단원

개념 확인하기

정답 21쪽

✍ 다음 문제를 읽고 답을 찾아 ☐ 안에 ✔표를 하시오.

1 우리나라와 이웃 나라가 경제적으로 교류하는 사례로 알맞은 것은 어느 것입니까?

　㉠ 수입과 수출 등 무역을 한다. ☐

　㉡ 이웃 나라 사람과 결혼해 함께 산다. ☐

2 우리나라 사람들이 일자리를 구하러 이웃 나라로 이동하는 것은 어떤 분야의 교류에 해당합니까?

　㉠ 인적 교류 ☐　　㉡ 정치적 교류 ☐

3 정상 회담은 어떤 분야의 교류에 해당합니까?

　㉠ 문화적 교류 ☐　　㉡ 정치적 교류 ☐

4 우리나라와 이웃 나라가 문화적으로 교류하는 모습은 무엇입니까?

　㉠ 이웃 나라에 전력망을 구축한다. ☐

　㉡ 학생들이 공부하기 위해 유학을 간다. ☐

5 우리나라와 이웃 나라의 교류 모습에 대한 설명으로 알맞은 것은 어느 것입니까?

　㉠ 나라 간의 교류가 증가하고 있다. ☐

　㉡ 나라 간 교류의 필요성이 줄어들고 있다. ☐

[1~2] 다음은 우리나라와 이웃 나라를 나타낸 지도입니다.

1 다음 지도의 ㉠~㉢에 해당하는 나라를 알맞게 짝 지은 것은 어느 것입니까? ( )

	㉠	㉡	㉢
①	중국	몽골	러시아
②	중국	일본	베트남
③	일본	러시아	중국
④	일본	인도	몽골
⑤	러시아	중국	일본

2 다음에서 설명하는 나라를 위에서 찾아 기호를 쓰시오.

• 세계에서 영토가 가장 넓습니다.
• 위도가 높아 냉대 기후가 널리 나타납니다.

( )

[3~4] 다음은 이웃 나라의 지도입니다.

3 위 지도에서 ○ 표시된 곳에서 발달한 것을 보기 에서 찾아 쓰시오.

보기
• 사막 지대   • 공업 지역   • 고산 지대

( )

천재교과서, 교학사, 미래엔, 비상교과서, 비상교육

4 위 ○ 표시된 지역에서 3번 답이 발달한 까닭으로 알맞은 것을 두 가지 고르시오. (,)

① 자원이 풍부하기 때문에
② 노동력이 풍부하기 때문에
③ 냉대 기후가 나타나기 때문에
④ 태풍과 지진 활동이 잦기 때문에
⑤ 원료 수입과 제품 수출에 유리하기 때문에

5 우리나라, 중국, 일본 문자의 비슷한 점을 보기에서 찾아 기호를 쓰시오.

보기
ㄱ 주로 알파벳을 씁니다.
ㄴ 한자의 영향을 받았습니다.
ㄷ 그리스 문자에 바탕을 두었습니다.

( )

천재교과서, 교학사, 미래엔, 비상교육

6 일본의 식사 도구에 대한 설명으로 알맞은 것은 어느 것입니까? ( )
① 포크, 칼을 사용한다.
② 젓가락 끝이 뭉툭하다.
③ 금속 젓가락을 주로 사용한다.
④ 길이가 긴 젓가락을 사용한다.
⑤ 끝이 뾰족한 젓가락을 사용한다.

7 다음 그래프를 통해 알 수 있는 것은 어느 것입니까?
( )

일본인 2.1
기타 19.0
몽골인 4.5
유학생 총 153,695명
중국인 43.6(%)
베트남인 24.9
우즈베키스탄인 5.9 [출처: 교육부, 2021.]
▲ 국내 외국인 유학생 비율(2020년)

① 베트남과의 경제적 교류가 가장 활발하다.
② 이웃 나라 간의 교류는 점점 줄어들고 있다.
③ 우리나라는 이웃 나라와 전혀 교류하지 않는다.
④ 우리나라는 유럽 대륙의 국가들과만 교류를 한다.
⑤ 이웃 나라와의 문화적 교류가 활발하게 이루어지고 있다.

8 다음 어린이가 말하고 있는 공동의 문제는 무엇인지 보기에서 찾아 기호를 쓰시오.

우리나라와 이웃 나라의 공동의 문제를 해결하기 위해 우리나라는 중국의 사막 지역에 나무를 심고 있어요.

보기
ㄱ 역사 왜곡 문제   ㄴ 황사와 미세 먼지 문제

( )

9 다음 나라에 대한 설명으로 알맞은 것을 두 가지 고르시오. (,)

0 500 km
미국
태평양
대서양
0 300 km
0 500 km

① 세계에서 인구가 가장 많다.
② 세계에서 영토 면적이 가장 넓다.
③ 우리나라와 다양한 분야에서 교류하고 있다.
④ 영토 면적이 넓어서 다양한 지형이 나타난다.
⑤ 네 개의 큰 섬과 3,000개가 넘는 작은 섬들로 이루어졌다.

10 다음은 오늘날 우리나라와 세계 여러 나라들이 교류하는 까닭입니다. ( ) 안의 알맞은 말에 각각 ○표를 하시오.

나라마다 환경이 ❶(달라 / 같아) 서로 필요한 도움을 주고받을 수 있습니다. 또한, 오늘날 교통과 통신 기술의 발달로 물자 이동이 ❷(편리 / 불편)해졌기 때문입니다.

서술형·논술형 평가

연습 🦉 도움말을 참고하여 내 생각을 차근차근 써 보세요.

1 다음은 우리나라의 이웃 나라를 나타낸 지도입니다. [총 10점]

(1) 위 지도에 나타난 나라는 어디인지 쓰시오. [2점]

( )

(2) 위 나라에서 나타나는 자연환경의 특징으로 알맞은 것을 보기에서 모두 찾아 기호를 쓰시오. [2점]

보기
㉠ 우리나라의 서쪽에 위치합니다.
㉡ 세계에서 영토의 면적이 가장 넓습니다.
㉢ 서쪽에서 동쪽으로 갈수록 지형이 낮아집니다.

(,)

(3) 위 나라의 인문환경의 특징을 쓰시오. [6점]

🦉 나라의 인구, 도시, 산업 등을 생각하여 써 보세요.
꼭 들어가야 할 말 인구 / 산업

_____

_____

2 다음은 우리나라의 이웃 나라에서 볼 수 있는 모습입니다. [총 10점]

🔺 유럽과 아시아 대륙의 경계가   🔺 세계 여러 나라에 수출되는
되는 우랄 산맥   천연가스

(1) 위와 같은 모습을 볼 수 있는 나라를 다음 지도에서 찾아 기호를 쓰시오. [2점]

( )

(2) 위 나라에서 주로 나타나는 기후의 특징을 알맞게 말한 어린이를 쓰시오. [2점]

태리: 일 년 내내 비가 거의 오지 않아.
현준: 사계절이 뚜렷하지만 겨울이 길고 추워.

( )

(3) 위 밑줄 친 부분과 관련하여 위 나라에 발달한 산업의 특징은 무엇인지 쓰시오. [6점]

_____

_____

3 다음은 우리나라와 이웃 나라의 교류 사례를 나타낸 신문 기사입니다. [총 10점]

> ○○신문   20△△년 △△월 △△일
>
> **한·중·일 3국, 미세 먼지 해결 방안 공동 논의**
>
> 한국, 중국, 일본의 환경 장관들이 모여 최근 논란이 되고 있는 미세 먼지 문제에 함께 대처하고 해결을 위해 노력하기로 약속했다. 각 나라는 협력 기구를 만들고, 미세 먼지와 관련된 정책과 기술을 공유할 예정이다.

(1) 위 사례는 어느 분야에서의 교류를 나타낸 것인지 보기 에서 찾아 쓰시오. [2점]

> **보기**
> • 인적 교류   • 문화적 교류   • 정치적 교류

(   )

(2) 위와 같은 문제를 이웃 나라와 함께 해결해야 하는 까닭을 보기 에서 찾아 기호를 쓰시오. [2점]

> **보기**
> ㉠ 우리나라에는 미세 먼지 문제를 해결할 수 있는 방법이 없기 때문에
> ㉡ 미세 먼지가 바람을 타고 이동해 이웃 나라에 피해를 줄 수 있기 때문에

(   )

(3) 위와 같이 이웃 나라와 공동의 문제를 함께 해결하려 할 때 가져야 하는 태도를 쓰시오. [6점]

_____

_____

4 다음은 우리나라와 관계 깊은 나라에 대해 정리한 표입니다. [총 8점]

우리나라와의 관계	활발하게 교류하는 대표적인 동남아시아 국가
면적	남한의 약 세 배
인구	우리나라 인구의 대략 두 배
지형	북부와 남부에 발달한 넓은 평야
기후	덥고 습한 기후
주요 산업	• 세계적인 쌀 수출국 • 풍부한 노동력으로 _____ (가)

(1) 위에서 설명한 나라는 ㉠과 ㉡ 중 어디인지 쓰시오. [2점]

(   )

(2) 위 표의 (가)에 들어갈 알맞은 내용을 쓰시오. [6점]

_____

_____

11종 공통

1 다음과 같은 지구본에서 볼 수 있는 것은 어느 것입니까? (   )

① 날씨   ② 검색창
③ 항공 사진   ④ 위선과 경선
⑤ 지역의 건물 모습

11종 공통

2 다음 공간 자료의 특징으로 알맞은 것은 어느 것입니까?
(   )

◎ 디지털 영상 지도

① 가지고 다니기 어렵다.
② 컴퓨터로는 볼 수 없다.
③ 지도를 확대해서 보기 어렵다.
④ 가장 쉽게 많은 정보를 얻을 수 있다.
⑤ 특정 나라의 위치를 파악하기 어렵다.

11종 공통

3 다음에서 설명하는 대양은 어느 것입니까? (   )

◎ 남극 대륙을 둘러싸고 있는 바다

① 태평양   ② 북극해
③ 남극해   ④ 대서양
⑤ 인도양

11종 공통

4 대륙과 대양에 대한 설명으로 알맞지 <u>않은</u> 것은 어느 것입니까? (   )

① 우리나라가 속해 있는 대륙은 아시아이다.
② 대양에는 대서양, 인도양, 북극해 등이 있다.
③ 그린란드보다 면적이 넓으면 대륙이라고 한다.
④ 세계 여러 대륙 중에서 가장 큰 대륙은 아프리카이다.
⑤ 대륙은 바다로 둘러싸인 큰 땅덩어리를 말하고, 대양은 큰 바다를 말한다.

11종 공통

5 다음 중 북아메리카에 속해 있는 나라는 어디입니까?
(   )

① 칠레   ② 영국
③ 브라질   ④ 스웨덴
⑤ 캐나다

천재교육, 천재교과서, 교학사, 금성출판사, 김영사,
동아출판, 미래엔, 비상교과서, 비상교육, 지학사

6 바티칸 시국에 대한 설명으로 알맞은 것은 어느 것입니까? (   )

① 유럽 북부에 있는 나라이다.
② 영국 런던 시내에 있는 나라이다.
③ 영토의 면적이 라오스와 비슷하다.
④ 우리나라보다 영토의 면적이 넓다.
⑤ 세계에서 영토의 면적이 가장 좁은 나라이다.

11종 공통

7 다음 지도의 ㉠~㉤에 들어갈 기후가 알맞게 짝 지어진 것은 어느 것입니까? (   )

| ■ ㉠ | ■ ㉡ | ■ ㉢ |
| ■ ㉣ | ■ ㉤ | ▨ 고산 기후 |

① ㉠ – 온대 기후
② ㉡ – 건조 기후
③ ㉢ – 냉대 기후
④ ㉣ – 열대 기후
⑤ ㉤ – 한대 기후

11종 공통

8 적도 부근에서 주로 나타나는 기후는 어느 것입니까? (   )

① 건조 기후   ② 냉대 기후
③ 온대 기후   ④ 열대 기후
⑤ 한대 기후

11종 공통

9 다음 지역에 분포하는 기후와 관련 있는 내용으로 알맞은 것은 어느 것입니까? (   )

① 오아시스가 발달했다.
② 일 년 내내 기온이 낮다.
③ 사계절이 비교적 뚜렷하다.
④ 사람들이 대부분 유목 생활을 한다.
⑤ 바나나, 카카오, 커피를 대규모로 재배한다.

11종 공통

10 다음 냉대 기후 지역에 대한 설명에서 밑줄 친 '이것'에 해당하는 것은 어느 것입니까? (   )

> 잎이 뾰족하고 재질이 부드러운 이것이 널리 분포해 목재와 펄프의 세계적인 생산지가 되기도 합니다.

① 침엽수림   ② 활엽수림
③ 원예 작물   ④ 뿌리 작물
⑤ 열대 과일

1 단원

11 다음 인도 여성의 전통 복장에 영향을 미친 종교는 어느 것입니까? (   )

① 불교　　　　　　② 유교
③ 힌두교　　　　　④ 기독교
⑤ 이슬람교

13 환경이 세계 여러 나라 사람들의 생활 모습에 미치는 영향을 조사할 때 가장 먼저 해야 할 일은 어느 것입니까? (   )

① 결론 내리기
② 주제 정하기
③ 조사 계획 세우기
④ 자료를 수집하고 분석하기
⑤ 생활 모습이 나타나는 까닭 예상해 보기

14 중국에 대해 알맞게 이야기한 어린이는 누구입니까?
(   )

① 민희: 우리나라의 동쪽에 있어.
② 서준: 대부분의 대도시는 서쪽에 있어.
③ 시영: 세계에서 네 번째로 인구가 많아.
④ 연우: 동쪽에서 서쪽으로 갈수록 지형이 낮아져.
⑤ 아인: 영토가 넓고 지역마다 다양한 지형과 기후가 나타나.

12 다음과 같은 다양한 생활 모습을 보고 가져야 할 올바른 태도는 어느 것입니까? (   )

점심 식사 후에 낮잠을 자는 풍습이 있어요.

소고기를 먹지 않고 오른손으로 식사를 해요.

① 다양한 생활 모습을 이해하고 존중한다.
② 우리나라와 다른 생활 모습은 인정하지 않는다.
③ 다른 나라의 생활 모습에는 관심을 가지지 않는다.
④ 우리나라의 생활 모습이 가장 효율적이라고 생각한다.
⑤ 우리나라의 문화보다 다른 나라의 문화를 높게 평가한다.

15 러시아에 대한 설명으로 알맞은 것은 어느 것입니까?
(   )

① 수도는 베이징이다.
② 동부는 평원이 넓게 자리한다.
③ 대부분의 인구가 동남부 지역에 집중해 있다.
④ 천연자원이 부족해 대부분 수입에 의존하고 있다.
⑤ 우랄산맥을 경계로 동쪽은 아시아, 서쪽은 유럽에 속했다.

천재교육, 천재교과서, 교학사, 금성출판사, 김영사, 동아출판, 미래엔, 비상교과서, 비상교육, 아이스크림 미디어

11종 공통

16 우리나라와 중국, 일본의 생활 모습이 비슷한 까닭으로 알맞지 <u>않은</u> 것은 어느 것입니까? (   )

① 지리적으로 가깝다.

② 문화를 주고받았다.

③ 자연환경이 비슷하다.

④ 옛날부터 사람들이 서로 오고갔다.

⑤ 이웃 나라의 생활 모습에 영향을 받았다.

천재교과서, 교학사, 미래엔, 비상교육

17 중국이 길고 끝이 뭉툭한 젓가락을 사용하는 까닭으로 알맞은 것은 어느 것입니까? (   )

① 빵을 잘 집기 위해서

② 반찬이 무게가 있어서

③ 쉽게 녹슬지 않게 하려고

④ 뜨겁고 기름진 음식을 집기 위해서

⑤ 국물이 스며들지 않게 하기 위해서

11종 공통

18 다음 표를 보고 알 수 있는 것은 어느 것입니까? (   )

〈우리나라와 이웃 나라의 무역 현황〉

	수입 비중	수출 비중
중국	1위(23.2%)	1위(25.9%)
일본	3위(9.8%)	5위(4.9%)
러시아	9위(2.3%)	11위(1.3%)

[출처: 관세청, 2020.]

※ 우리나라의 총수출액, 총수입액을 기준으로 한 순위임.

① 러시아는 우리나라와 무역을 거의 하지 않는다.

② 우리나라와 이웃 나라는 경제 교류를 하고 있다.

③ 지리적으로 가까운 나라와는 교류를 하지 않는다.

④ 우리나라는 무역 활동을 활발하게 하고 있지 않다.

⑤ 중국은 우리나라와의 무역 규모에서 가장 작은 비중을 차지한다.

11종 공통

19 사우디아라비아의 특징으로 알맞은 것은 어느 것입니까? (   )

① 한대 기후가 나타난다.

② 한반도 면적보다 좁다.

③ 세계 주요 원유 수출국이다.

④ 섬나라여서 습하고 비와 눈이 많이 내린다.

⑤ 우리나라와 환경이 같아서 활발한 교류가 이루어지지 않고 있다.

1 단원

진도 완료 체크

11종 공통

20 우리나라와 세계 여러 나라의 교류에 대한 설명으로 알맞지 <u>않은</u> 것은 어느 것입니까? (   )

① 깊은 상호 의존 관계를 맺고 있다.

② 서로 필요한 것을 주고받으며 발전하고 있다.

③ 활발하게 교류할수록 서로에게 미치는 영향은 더욱 커진다.

④ 나라마다 환경이 달라 교류를 통해 서로 필요한 도움을 주고받고 있다.

⑤ 지리적으로 가까운 나라들하고만 활발하게 교류하며 깊은 관계를 맺고 있다.

· 답안 입력하기   · 평가 분석표 받기

1 단원

11종 공통

1 다음 디지털 영상 지도에서 표시된 (가) 부분의 기능에 대해 알맞게 설명한 것은 어느 것입니까? ( )

① 지도를 확대, 축소할 수 있다.
② 지도를 위성 사진으로 바꿔볼 수 있다.
③ 자동차, 대중교통, 도보, 자전거의 경로를 찾을 수 있다.
④ 어떤 장소의 실제 모습을 여러 각도에서 살펴볼 수 있다.
⑤ 검색창에 찾고자 하는 장소를 입력하면 지도에서 위치를 찾을 수 있다.

11종 공통

2 다음 ㉠, ㉡에 들어갈 말이 알맞게 짝 지어진 것은 어느 것입니까? ( )

| ㉠ | 바다로 둘러싸인 큰 땅덩어리를 말하며 아시아, 아프리카, 유럽, 오세아니아, 북아메리카, 남아메리카 등이 있음. |
| ㉡ | 큰 바다를 말하며 태평양, 대서양, 인도양, 북극해, 남극해 등이 있음. |

	㉠	㉡		㉠	㉡
①	대양	대륙	②	대양	육지
③	대륙	대양	④	대륙	산지
⑤	대륙	지구			

11종 공통

3 대양에 대한 설명으로 알맞지 <u>않은</u> 것은 어느 것입니까?
( )

① 북극해는 대부분 얼음에 덮여 있다.
② 세계의 바다 가운데 특히 큰 바다를 말한다.
③ 우리나라와 인접해 있는 대양은 대서양이다.
④ 태평양, 대서양, 인도양은 북반구와 남반구에 걸쳐 있다.
⑤ 가장 큰 대양은 태평양이고, 가장 작은 대양은 북극해이다.

11종 공통

4 다음 대륙에 속한 나라로 알맞지 <u>않은</u> 것은 어느 것입니까? ( )
① 영국
② 칠레
③ 독일
④ 프랑스
⑤ 에스파냐

△ 유럽

11종 공통

5 아프리카에 있는 나라끼리 알맞게 짝 지어진 것은 어느 것입니까? ( )
① 인도, 일본
② 미국, 멕시코
③ 케냐, 이집트
④ 영국, 에스파냐
⑤ 뉴질랜드, 오스트레일리아

천재교과서, 동아출판

6 지리 정보가 담긴 공간 자료를 활용하여 세계 여러 나라를 소개할 때 가장 먼저 해야 할 일은 어느 것입니까?

( )

① 주제 정하기

② 보고서 작성하기

③ 모둠별로 발표하기

④ 조사에 활용할 자료 정하기

⑤ 지구본, 세계지도, 디지털 영상 지도로 조사하기

11종 공통

7 다음 지도를 통해 알 수 있는 사실은 어느 것입니까?

( )

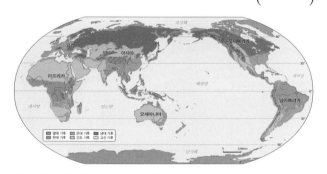

① 지구의 기후는 모두 동일하다.

② 적도 부근은 냉대 기후 지역이다.

③ 한대 기후는 중위도 지방에 나타난다.

④ 태양열을 적게 받는 곳은 고산 기후가 나타난다.

⑤ 적도에서 극지방으로 갈수록 기온이 점차 낮아진다.

11종 공통

8 남극 대륙에서 주로 나타나는 기후는 어느 것입니까?

( )

① 한대 기후 ② 냉대 기후

③ 온대 기후 ④ 열대 기후

⑤ 건조 기후

11종 공통

9 다음 사진과 관련 있는 기후 지역의 특징으로 알맞은 것은 어느 것입니까? ( )

△ 생태 관광 산업   △ 화전 농업

① 여름과 겨울의 기온 차가 크다.

② 일 년 내내 봄과 같이 온화하다.

③ 땅이 눈과 얼음으로 뒤덮여 있다.

④ 일 년 내내 덥고, 연 강수량이 많다.

⑤ 겨울에 눈이 녹지 않고 계속 쌓여 있다.

11종 공통

10 건조 기후 지역에서 주로 볼 수 있는 생활 모습으로 알맞은 것은 어느 것입니까? ( )

①   ②

△ 순록 유목을 함.   △ 펄프 산업을 함.

③   ④

△ 화훼 농업을 함.   △ 오아시스 주변에서 농업을 함.

천재교육, 김영사, 비상교과서, 비상교육

11 오른쪽 멕시코 사람들의 복장에 가장 영향을 미친 것은 어느 것입니까?

(   )

① 종교
② 인종
③ 국가
④ 기후
⑤ 영토의 면적

⬆ 판초

11종 공통

12 다음 사진에 대한 설명으로 알맞은 것은 어느 것입니까?

(   )

⬆ 게르

① 벽돌로 지은 집이다.
② 바닷가에서 흔히 볼 수 있다.
③ 유목민들에게 적합한 주거 형태이다.
④ 농사를 짓기 쉬운 곳에서 볼 수 있다.
⑤ 바닥이 땅으로부터 떨어지게 지은 집이다.

11종 공통

13 세계 여러 나라 사람들의 생활 모습에 영향을 미치는 것으로 가장 알맞지 <u>않은</u> 것은 어느 것입니까?

(   )

① 지형   ② 기후
③ 풍습   ④ 종교
⑤ 취미

11종 공통

14 다음 나라의 특징으로 알맞은 것은 어느 것입니까?

(   )

① 지진 활동이 활발하다.
② 공업이 발달하지 못했다.
③ 우리나라의 서쪽에 있다.
④ 세계 최대의 원유 생산국이다.
⑤ 국토 대부분이 평야 지대이다.

11종 공통

15 러시아에 대해 알맞게 이야기한 어린이는 누구입니까?

(   )

① 지빈: 우리나라의 남쪽에 있어.
② 진서: 동부는 평원이 넓게 나타나.
③ 규원: 세계에서 영토가 두 번째로 넓어.
④ 승후: 서부는 주로 고원과 산악 지대야.
⑤ 이안: 위도가 높아 냉대 기후가 널리 나타나.

16 일본 사람들이 끝이 뾰족한 젓가락을 사용하는 까닭은 어느 것입니까? (   )

천재교과서, 교학사, 미래엔, 비상교육

① 녹슬지 않게 하기 위해서
② 일본에는 생선 요리가 많아서
③ 기름진 음식이 미끄러지지 않아서
④ 국물이 젓가락에 스며들지 않아서
⑤ 젓가락으로 집는 반찬이 무게가 있어서

11종 공통

17 우리나라와 이웃 나라의 교류에 대한 설명으로 알맞지 <u>않은</u> 것은 어느 것입니까? (   )

① 이웃 나라와 교육적 교류가 활발하다.
② 정치, 문화 등 다양한 분야에서 교류하고 있다.
③ 거리가 가까운 만큼 영향을 긴밀히 주고받고 있다.
④ 문제를 해결하기 위한 교류는 아직까지 이루어지지 않고 있다.
⑤ 우리나라의 무역 규모에서 큰 비중을 차지하는 중국, 일본 등과 경제적으로 활발하게 교류하고 있다.

천재교육, 천재교과서, 교학사, 금성출판사, 김영사, 동아출판,
비상교과서, 비상교육, 아이스크림 미디어, 지학사

18 다음과 같은 특징이 나타나는 나라는 어디입니까?
(   )

> 남북 방향으로 산맥이 이어져 있으며, 북부와 남부의 넓은 평야를 중심으로 벼가 많이 재배되어 세계에서 두 번째로 쌀을 많이 수출합니다.

① 미국
② 중국
③ 러시아
④ 베트남
⑤ 사우디아라비아

11종 공통

19 우리나라가 사우디아라비아에서 주로 수입하는 것은 어느 것입니까? (   )

① 밀   ② 원유
③ 반도체   ④ 자동차
⑤ 스마트폰

11종 공통

20 다음 우리나라와 세계 여러 나라의 교류를 나타낸 그림을 보고 알 수 있는 것은 어느 것입니까? (   )

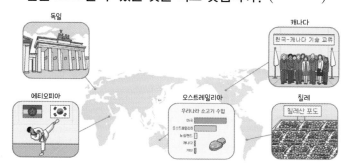

① 우리나라는 다른 나라와 협력하지 않는다.
② 지리적으로 가까운 나라하고만 교류를 한다.
③ 우리나라는 다른 나라들과 경제적 교류만 하고 있다.
④ 우리나라와 다른 나라의 교류가 점점 줄어들고 있다.
⑤ 나라마다 환경이 서로 달라 필요한 도움을 주고받는다.

· 답안 입력하기   · 평가 분석표 받기

❶ 우리 땅 독도

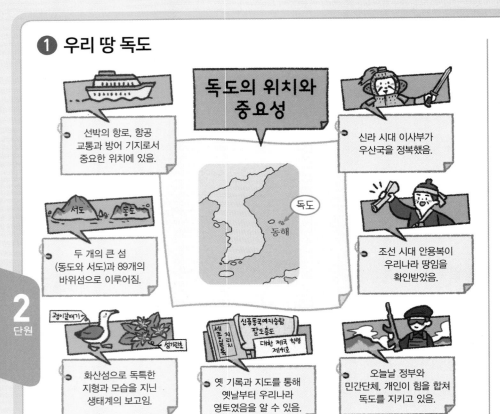

독도의 위치와 중요성

- 선박의 항로, 항공 교통과 방어 기지로서 중요한 위치에 있음.
- 두 개의 큰 섬 (동도와 서도)과 89개의 바위섬으로 이루어짐.
- 화산섬으로 독특한 지형과 모습을 지닌 생태계의 보고임.
- 옛 기록과 지도를 통해 옛날부터 우리나라 영토였음을 알 수 있음.
- 신라 시대 이사부가 우산국을 정복했음.
- 조선 시대 안용복이 우리나라 땅임을 확인받았음.
- 오늘날 정부와 민간단체, 개인이 힘을 합쳐 독도를 지키고 있음.

＊중요한 내용을 정리해 보세요!

● 독도의 위치는?

● 독도가 중요한 까닭은?

개념 확인하기

정답 25쪽

🍃 다음 문제를 읽고 답을 찾아 ☐ 안에 ✔표를 하시오.

1 독도는 우리나라의 어디에 있는 섬입니까?

㉠ 서쪽 끝 ☐　　㉡ 남쪽 끝 ☐　　㉢ 동쪽 끝 ☐

2 독도가 중요한 까닭은 무엇입니까?

㉠ 관광지로서 중요한 위치에 있어서 ☐

㉡ 방어 기지로서 중요한 위치에 있어서 ☐

3 독도의 지형이 독특한 까닭은 무엇입니까?

㉠ 지진이 자주 일어났기 때문에 ☐

㉡ 화산 활동으로 생긴 화산섬이기 때문에 ☐

4 조선 시대에 독도가 우리나라 땅임을 확인받은 인물은 누구입니까?

㉠ 이사부 ☐　　㉡ 안용복 ☐　　㉢ 최종덕 ☐

5 독도에 대한 설명으로 알맞은 것은 무엇입니까?

㉠ 개인의 힘으로만 지키고 있다. ☐

㉡ 천연기념물로 지정돼 보호받고 있다. ☐

❷ 남북통일이 필요한 까닭과 통일을 위한 노력

전쟁의 불안감
해소

민족의 동질성
회복

경제 성장

이산가족의
아픔 치유

유럽까지 육로
교통 연결

남북통일이 필요한 까닭

남북통일을 위한 노력

정치적
노력

1972　7·4 남북 공동 성명

1991　남북 기본 합의서 채택

2000　6·15 남북 공동 선언

경제적
노력

1998　금강산 관광

2005　개성 공업 지구 운영

사회·문화적
노력

1985　첫 남북 이산가족 상봉

2002　경의선 및 동해선
　　　철도·도로 연결 착공식

2018　남북 평화 협력 합동 공연

✳ 중요한 내용을 정리해 보세요!

● 남북통일이 필요한 까닭은?

● 남북통일을 위해 기울여 온 노력은?

2
단원

개념 확인하기

정답 25쪽

🍃 다음 문제를 읽고 답을 찾아 ☐ 안에 ✔표를 하시오.

1 남북 분단으로 인해 만나지 못하는 가족은 무엇입니까?

　㉠ 이산가족 ☐　　㉡ 분단 가족 ☐

2 남북통일이 되면 달라지는 점은 무엇입니까?

　㉠ 전쟁의 불안감이 심해진다. ☐

　㉡ 전쟁의 불안감이 해소된다. ☐

3 남북통일이 되면 경제 성장을 이룰 수 있는 까닭은 무엇입니까?

　㉠ 국방비가 늘어나서 ☐

　㉡ 남북한의 기술과 자원이 결합해서 ☐

4 '금강산 관광'은 우리나라가 남북통일을 위해 기울여 온 노력 중 무엇에 해당합니까?

　㉠ 정치적 노력 ☐　　㉡ 경제적 노력 ☐

5 남북 정치 교류의 시작이 된 사건은 무엇입니까?

　㉠ 7·4 남북 공동 성명 ☐

　㉡ 6·15 남북 공동 선언 ☐

1 독도에 대한 설명으로 알맞은 것은 어느 것입니까?

( )

① 우리나라의 남쪽 끝에 있다.

② 대략 남위 37°, 서경 132°에 있다.

③ 세 개의 큰 섬과 바위섬들로 이루어져 있다.

④ 항공 교통과 방어 기지로서 중요한 역할을 한다.

⑤ 맑은 날에는 일본 오키섬에서 맨눈으로 독도를 볼 수 있다.

2 단원

2 독도의 자연환경에 대한 설명으로 알맞지 <u>않은</u> 것을 다음 보기 에서 찾아 기호를 쓰시오.

┌─ 보기 ─────────────────────
㉠ 독도 주변 바다 밑바닥에는 메탄 하이드레이트가 묻혀 있습니다.
㉡ 차가운 바닷물과 따뜻한 바닷물이 만나 해양 생물이 살기 어렵습니다.
㉢ 독도는 화산 활동으로 생긴 섬으로, 독특한 지형과 모습을 지니고 있습니다.
└──────────────────────────

( )

동아출판, 미래엔, 아이스크림 미디어, 지학사

3 독도의 기후에 대한 설명으로 알맞은 것은 어느 것입니까?

( )

① 맑은 날이 많다.

② 안개가 거의 끼지 않는다.

③ 겨울에는 눈이 거의 오지 않는다.

④ 일 년 내내 건조한 기후가 나타난다.

⑤ 동해의 영향으로 기온이 온화한 편이다.

4 1531년에 그려진 다음 지도에 대한 설명으로 알맞은 것은 어느 것입니까? ( )

① 일본에서 제작한 지도이다.

② 지도의 이름은 『세종실록』 「지리지」이다.

③ 동해에 울릉도와 독도(우산도)를 함께 그렸다.

④ 「대한 제국 칙령 제41호」에서 사용된 지도이다.

⑤ 울릉도와 독도가 강원도에 속한 섬이라고 기록했다.

5 다음은 어떤 단체의 활동 내용입니까? ( )

┌──────────────────────────
• 인터넷에서 우리나라와 관련된 잘못된 사실을 바로잡는 일을 합니다.
• 대한민국의 해양 영토를 알리는 '한국 해양 지도'를 제작해 배포했습니다.
└──────────────────────────

① 국제 연합

② 국경 없는 의사회

③ 한국 국제 협력단

④ 사이버 외교 사절단 반크

⑤ 지뢰 금지 국제 운동(ICBL) 단체

6 다음과 관련 있는 남북 분단의 문제점은 무엇입니까?
( )

> 저는 평양에서 태어났어요.
> 6·25 전쟁이 일어나 남쪽으로 피난 올 때
> 동생과 손을 놓쳐 서로 헤어졌지요.
> 죽기 전의 소원이 있다면 동생을 만나
> 함께 고향에 가 보는 거예요.

① 이산가족의 아픔
② 경제적 손실 발생
③ 문화의 차이 발생
④ 전쟁에 대한 불안감 증대
⑤ 동북아시아와 세계 평화에 부정적인 영향

7 남북통일이 필요한 까닭으로 알맞지 <u>않은</u> 것은 어느 것입니까? ( )

① 국방비를 줄일 수 있기 때문에
② 경제 성장을 이룰 수 있기 때문에
③ 민족의 동질성을 회복할 수 있기 때문에
④ 헤어진 가족들이 서로 만날 수 있기 때문에
⑤ 항공을 이용해 유럽까지 갈 수 있기 때문에

8 통일을 위한 노력 중 가장 먼저 일어난 일은 어느 것입니까? ( )

① 금강산 관광 시작
② 첫 남북 이산가족 상봉
③ 개성 공업 지구 운영 시작
④ 남북 평화 협력 합동 공연
⑤ 경의선 및 동해선 철도·도로 연결 착공식

9 다음 설명과 관련하여 남북이 통일을 위해 기울인 노력은 어느 것입니까? ( )

> 남북 정치 교류의 시작으로, 최초로 통일에 관하여 합의하고 발표했습니다.

①
△ 남북 기본 합의서 채택

②
△ 경의선 및 동해선 철도·도로 연결 착공식

③
△ 6·15 남북 공동 선언

④
△ 7·4 남북 공동 성명

천재교육, 천재교과서, 교학사, 금성출판사, 김영사, 동아출판, 미래엔, 비상교육

10 다음 지역에 대한 설명으로 알맞은 것을 보기 에서 찾아 기호를 쓰시오.

△ 비무장 지대(DMZ)

보기
㉠ 군사 시설이 배치된 지역입니다.
㉡ 자연 그대로의 생태 환경을 지닌 지역입니다.
㉢ 휴전선으로부터 남북으로 각각 4km씩 총 8km입니다.

( )

2단원

연습 🦉 도움말을 참고하여 내 생각을 차근차근 써 보세요.

1 다음은 우리나라의 영토를 나타낸 지도입니다.
[총 10점]

(1) 위의 ㉠과 ㉡에 들어갈 우리나라의 영토를 다음 **보기**에서 각각 찾아 쓰시오. [2점]

> **보기**
> • 독도   • 제주도   • 울릉도   • 마라도

㉠ (   ) ㉡ (   )

(2) 위 ㉡이 표기되어 있는 지도에 ○표를 하시오. [2점]
㈎「대일본전도」   (   )
㈏『신증동국여지승람』「팔도총도」   (   )

(3) 위의 자료를 바탕으로 알 수 있는 독도에 대한 사실을 쓰시오. [6점]

> 🦉 자료를 살펴보며 독도가 우리나라의 영토라는 사실을 써 보세요.
> **꼭 들어가야 할 말** 조상 / 우리 땅

_____

_____

2 다음은 독도를 지키려는 노력입니다. [총 10점]

㉠

🔺 등대 설치

㉡

🔺 사이버 외교 사절단의 활동

(1) 독도를 지키려는 정부의 노력으로 알맞은 것의 기호를 쓰시오. [2점]

(   )

(2) 위 ㉡에 대해 바르게 말한 어린이를 쓰시오. [2점]

> 진호: 우리나라의 억지 주장을 바로잡는 데 힘쓰고 있어.
> 의경: 인터넷에서 독도와 관련된 사실을 전달하는 데 힘쓰고 있어.

(   )

(3) 독도가 우리 영토임을 알리기 위해 우리가 할 수 있는 일을 쓰시오. [6점]

_____

_____

3 다음은 남북통일이 된다면 얻을 수 있는 경제적 이득을 나타낸 그림입니다. [총 10점]

(1) 남한과 북한 중 위의 ㉠과 ㉡에 들어갈 알맞은 말을 각각 쓰시오. [2점]

㉠ (   )

㉡ (   )

(2) 위 그림과 관련하여 분단으로 겪고 있는 어려움을 바르게 말한 어린이를 쓰시오. [2점]

> 민수: 여행 경비로 쓰이는 비용이 많아졌어.
> 진영: 남한과 북한이 가진 장점을 살리지 못하고 있어.

(   )

(3) 제시된 자료 이외에 남북통일이 된다면 좋은 점을 한 가지만 더 쓰시오. [6점]

_____

_____

4 다음은 통일 한국의 모습을 상상한 것입니다. [총 10점]

(1) 위와 같이 통일 한국의 모습을 표현한 방법은 무엇인지 보기 에서 찾아 ○표를 하시오. [2점]

> 보기
> • 신문 만들기   • 통일 지도 그리기

(2) 위 자료의 ㉠에 들어갈 수 있는 말을 보기 에서 찾아 기호를 쓰시오. [2점]

> 보기
> ㉮ 시베리아 횡단 열차를 타고 유럽에 갈 거예요.
> ㉯ 북한 친구들과 언어가 달라 소통하기 힘들어요.

(   )

(3) 통일이 되면 우리나라가 세계 평화에 기여할 수 있는 까닭을 쓰시오. [6점]

_____

_____

❶ 지구촌의 다양한 갈등

이스라엘 – 팔레스타인 분쟁

카슈미르 분리 분쟁

에티오피아 내전

포클랜드 분쟁

지구촌의 갈등

지구촌 갈등 해결이 어려운 까닭

· 지구촌 갈등은 복합적인 원인으로 발생함.
· 각 나라가 자신의 이익을 먼저 생각하고, 역사적으로 오랫동안 갈등이 반복되었기 때문에 해결이 어려움.

2단원

✳ 중요한 내용을 정리해 보세요!

● 지구촌 갈등의 모습은?

● 지구촌 갈등 해결이 어려운 까닭은?

개념 확인하기

정답 27쪽

🌱 다음 문제를 읽고 답을 찾아 ☐ 안에 ✔표를 하시오.

1 이스라엘과 분쟁 중인 곳은 어디입니까?

| ㉠ 멕시코 ☐ |
| ㉡ 에티오피아 ☐ |
| ㉢ 팔레스타인 ☐ |

2 포클랜드 제도의 소유권을 둘러싸고 분쟁 중인 두 나라는 어디입니까?

| ㉠ 영국과 아르헨티나 ☐ |
| ㉡ 미국과 아르헨티나 ☐ |
| ㉢ 칠레와 아르헨티나 ☐ |

3 파키스탄과 인도 사이에 일어난 갈등은 무엇입니까?

| ㉠ 에티오피아 내전 ☐ |
| ㉡ 카슈미르 분리 분쟁 ☐ |

4 지구촌 갈등의 특징은 무엇입니까?

| ㉠ 거의 발생하지 않는다. ☐ |
| ㉡ 복합적인 원인으로 발생한다. ☐ |

5 지구촌 갈등 해결이 어려운 까닭은 무엇입니까?

| ㉠ 오랫동안 갈등이 반복되어서 ☐ |
| ㉡ 모두가 다른 나라의 이익을 먼저 생각해서 ☐ |

② 지구촌 평화와 발전을 위한 노력

국제기구
- 여러 나라가 모여 지구촌의 평화와 협력을 위해 활동하는 단체
- 대표적인 국제기구로는 국제 연합(UN)이 있음.
- 국제 연합(UN)에는 다양한 기구들이 있음.

국가
- 지구촌 평화를 위한 외교 활동
- 평화 조약 가입
- 국제 연합(UN) 평화 유지 활동 협력
- 한국 국제 협력단(KOICA) 운영

KOICA 한국국제협력단

지구촌 평화와 발전을 위한 노력

비정부 기구
지구촌의 여러 문제를 해결하기 위해 뜻이 비슷한 개인들이 모여 활동하는 단체

국경 없는 의사회

핵무기 폐기 국제 운동

세이브 더 칠드런

개인

남수단 사람들을 위해 헌신한 이태석

지뢰 금지 국제 운동(ICBL) 단체를 만든 조디 윌리엄스

✳ 중요한 내용을 정리해 보세요!

● 국제기구와 비정부 기구의 다른 점은?

● 지구촌 평화와 발전을 위한 국제기구와 비정부 기구의 노력은?

● 지구촌 평화와 발전을 위한 국가와 개인의 노력은?

2단원

개념 확인하기

정답 27쪽

🌱 다음 문제를 읽고 답을 찾아 ☐ 안에 ✔표를 하시오.

1 여러 나라가 모여 지구촌의 평화와 협력을 위해 활동하는 단체는 무엇입니까?

㉠ 국제기구 ☐ ㉡ 비정부 기구 ☐

2 대표적인 국제기구는 무엇입니까?

㉠ 국제 연합(UN) ☐
㉡ 국경 없는 의사회 ☐
㉢ 세이브 더 칠드런 ☐

3 다음 중 비정부 기구는 무엇입니까?

㉠ 국제 연합(UN) ☐
㉡ 핵무기 폐기 국제 운동 ☐

4 평화 조약 가입은 누가 하는 활동입니까?

㉠ 국가 ☐ ㉡ 개인 ☐ ㉢ 비정부 기구 ☐

5 이태석이 한 일은 무엇입니까?

㉠ 세이브 더 칠드런을 만들었다. ☐
㉡ 남수단 사람들을 위해 헌신했다. ☐
㉢ 지뢰 금지 국제 운동 단체를 만들었다. ☐

천재교육, 금성출판사, 김영사, 동아출판, 미래엔, 비상교과서, 지학사

1 다음 ☐ 안에 들어갈 나라는 어디입니까? (   )

⚠ 인도 경찰을 향해 돌을 던지는 카슈미르 지역 시위대

  1947년 주민 대부분이 이슬람교를 믿는 카슈미르 지역이 이슬람 국가인 ☐☐☐ 이/가 아닌, 힌두교를 믿는 사람이 많은 인도에 편입되면서 분쟁이 발생했습니다.

① 네팔
② 튀르키예
③ 파키스탄
④ 아랍 에미리트
⑤ 사우디아라비아

천재교육

2 에티오피아 내전이 일어난 원인으로 볼 수 <u>없는</u> 것은 어느 것입니까? (   )
① 민족 간 종교 차이
② 여러 민족의 언어 차이
③ 민족 간의 경제적 차별
④ 민족 간의 정치적 차별
⑤ 오랫동안 지속된 독재 정치

천재교육

3 다음 ☐ 안에 들어갈 지역의 이름은 무엇입니까?
(   )

  태평양과 대서양을 잇는 중요한 위치에 있으며 주변에 석유가 매장되어 있다고 알려진 ☐☐☐ 제도를 둘러싸고 영국과 아르헨티나의 소유권 분쟁이 발생했습니다.

① 카슈미르   ② 보스니아
③ 포클랜드   ④ 카탈루냐
⑤ 아프가니스탄

4 지구촌의 갈등 해결을 위해 우리가 노력해야 하는 까닭으로 알맞은 것을 보기 에서 찾아 기호를 쓰시오.

  보기
  ㉠ 지구촌 모두가 참여하도록 국제법으로 정해 두었기 때문입니다.
  ㉡ 지구촌 갈등 문제는 우리나라의 노력만으로 해결할 수 있기 때문입니다.
  ㉢ 한 나라 안에서 발생한 갈등 문제가 지구촌 전체의 문제가 될 수도 있기 때문입니다.

(   )

5 국제 연합(UN)이 만들어진 목적으로 가장 알맞은 것은 어느 것입니까? (   )
① 평화 유지, 전쟁 방지
② 환경 파괴, 빈곤 퇴치
③ 무기 분배, 환경 보호
④ 환경 파괴, 빈곤 퇴치
⑤ 빈곤 퇴치, 무기 분배

2 단원

천재교육, 김영사, 동아출판, 비상교과서, 아이스크림 미디어

6 다음과 같은 일을 하는 국제 연합(UN)의 기구는 무엇입니까? (   )

> 전 세계에서 전쟁, 내전, 자연재해 등 긴급한 상황으로 어려움에 처한 사람들에게 식량을 지원합니다.

① 국제 노동 기구　　　② 세계 보건 기구
③ 세계 식량 계획　　　④ 국제 연합 아동 기금
⑤ 국제 연합 교육 과학 문화 기구

7 비정부 기구에 대한 설명으로 알맞지 <u>않은</u> 것은 어느 것입니까? (   )
① 국제 연합(UN)의 전문 기구이다.
② 뜻이 비슷한 개인들이 모인 단체이다.
③ 지구촌의 여러 문제를 해결하기 위해 활동한다.
④ 국경 없는 의사회, 세이브 더 칠드런 등이 있다.
⑤ 평화 유지, 환경 보전, 빈곤 퇴치 등을 위해 일한다.

천재교육, 천재교과서, 금성출판사, 김영사, 비상교육

8 다음 단체에서 주로 하는 일은 어느 것입니까?
(   )

△ 핵무기 폐기 국제 운동

① 핵무기에 관련된 모든 것을 반대한다.
② 모든 어린이의 생존과 보호를 위해 활동한다.
③ 난민들이 안전하게 정착할 수 있도록 돕는다.
④ 전쟁, 재해 등으로 고통받는 사람들에게 의료 서비스를 제공한다.
⑤ 전 세계 어린이들이 안전하고 깨끗한 환경에서 교육받을 수 있도록 돕는다.

9 지구촌 평화와 발전을 위한 우리나라의 다음 노력과 관련 있는 활동은 어느 것입니까? (   )

> 우리 정부는 외교부 산하 기관인 한국 국제 협력단(KOICA)을 운영하고 있습니다.

① 핵 확산 금지 조약에 가입했다.
② 화학 무기 금지 협약에 가입했다.
③ 미얀마 군대 및 경찰과의 협력을 끊었다.
④ 오랜 전쟁으로 고통받는 레바논에 동명부대를 파견했다.
⑤ 이라크 북부 지역의 여성들을 돕기 위해 지원 센터를 설립했다.

천재교육, 천재교과서, 금성출판사

10 지구촌 평화와 발전을 위해 다음과 같은 활동을 한 사람은 누구입니까? (   )

> 1991년 지뢰 금지 국제 운동(ICBL) 단체를 만들고 123개 나라로부터 더 이상 지뢰를 사용하지 않겠다는 약속을 받아 냈습니다.

① 간디　　　　　　② 이태석
③ 넬슨 만델라　　　④ 조디 윌리엄스
⑤ 말랄라 유사프자이

2 단원

연습 🦉 도움말을 참고하여 내 생각을 차근차근 써 보세요.

1 다음은 시리아의 변화 모습입니다. [총 10점]

🔼 이전 모습 　　　　🔼 이후 모습

(1) 시리아의 모습이 위와 같이 변화한 까닭은 무엇 때문인지 다음을 참고하여 쓰시오. [2점]

> 한 나라 안에서 일어나는 전쟁을 말합니다.

(　　　　　　　　)

(2) 위 지역에서 전쟁이 일어난 까닭을 보기 에서 모두 찾아 기호를 쓰시오. [2점]

> **보기**
> ㉠ 언어 문제　　　　㉡ 종교 문제
> ㉢ 정치 문제　　　　㉣ 자원 문제

(　　 , 　　)

(3) 위 (1)번 답으로 시리아가 변화한 모습은 어떠한지 쓰시오. [6점]

> 🦉 시리아에서 일어난 전쟁으로 변화한 사진 속 모습을 살펴보며 써 보세요.
> 꼭 **들어가야 할 말** 전쟁 / 난민

_____

2 다음은 지구촌의 갈등 사례입니다. [총 10점]

(1) 위 지도의 ㉠에 들어갈 강은 무엇인지 쓰시오. [2점]

> 중국, 미얀마, 라오스, 타이, 캄보디아, 베트남을 흐르는 강입니다.

(　　　　　　　　)

(2) 위 (1)번 답 유역에서 나타나는 갈등을 바르게 말한 어린이를 쓰시오. [2점]

> 은하: 베트남이 마음대로 들어오는 물을 막았어요.
> 진수: 상류에 거대한 댐이 건설되어 물 부족을 겪는 나라들이 생겼어요.

(　　　　　　　　)

(3) 위와 같은 일부 지역의 갈등이 전 세계에 영향을 미치는 까닭을 쓰시오. [6점]

_____

_____

정답 28쪽

첨삭 강의

3 다음은 어느 국제기구의 전문 기구들을 정리한 표입니다. [총 10점]

㉠	전 세계 어린이들이 안전하고 깨끗한 환경에서 교육받고 건강하게 성장하도록 여러 가지 지원을 함.
세계 식량 계획(WFP)	긴급한 상황으로 어려움에 처한 사람들에게 식량을 지원함.
국제 연합 난민 기구(UNHCR)	㉡

(1) 위와 같은 전문 기구들이 속해 있는 국제기구를 쓰시오. [2점]

( )

(2) 위 ㉠에 들어갈 기구의 이름은 무엇인지 쓰시오. [2점]

( )

(3) 위 ㉡에 들어갈, 국제 연합 난민 기구(UNHCR)에서 하는 일을 한 가지만 쓰시오. [6점]

_____

_____

4 다음은 다양한 비정부 기구의 활동 모습입니다. [총 10점]

㉠	국경 없는 의사회
핵 실험 반대, 자연 보호 운동을 하고 있음.	㉡

(1) 위 ㉠에 들어갈 알맞은 비정부 기구를 보기 에서 찾아 쓰시오. [2점]

보기
• 그린피스   • 해비타트   • 세이브 더 칠드런

( )

(2) 위 ㉡에 들어갈, 국경 없는 의사회에서 하는 일로 알맞은 것을 보기 에서 찾아 기호를 쓰시오. [2점]

보기
㉮ 의료 지원이 필요한 사람을 돕습니다.
㉯ 터전을 잃은 사람들에게 집을 지어 줍니다.

( )

(3) 위 비정부 기구의 활동을 참고하여 비정부 기구의 뜻을 쓰시오. [6점]

_____

_____

❶ 지구촌 환경문제와 해결 노력

지구촌 환경문제

| 지구 온난화 | 열대 우림 파괴 | 과도한 쓰레기 배출 | 초미세 먼지 증가 |

지구촌 환경문제를 해결하려는 노력

| 개인 | 시민 단체 | 기업 | 정부 |
| 에너지 절약, 친환경적 소비 | 환경 운동, 기업과 정부 감시 | 친환경 기술 및 제품 개발 | 법과 제도 만들기 |

세계 각 나라는 환경문제를 해결하고자 서로 협력하여 대처함.

✳ 중요한 내용을 정리해 보세요!

● 지구촌의 환경문제는?

● 지구촌 환경문제를 해결하려는 노력은?

개념 확인하기

정답 29쪽

🌿 다음 문제를 읽고 답을 찾아 ☐ 안에 ✔표를 하시오.

1 온실가스 배출이 늘면서 발생한 환경문제는 무엇입니까?

- ㉠ 지구 온난화 ☐
- ㉡ 열대 우림 파괴 ☐
- ㉢ 초미세 먼지 증가 ☐

2 열대 우림이 파괴되는 까닭은 무엇입니까?

- ㉠ 과도한 개발 ☐
- ㉡ 일회용 쓰레기의 과도한 배출 ☐

3 지구촌 환경문제 해결을 위해 개인이 할 수 있는 노력은 무엇입니까?

- ㉠ 친환경적 소비 ☐
- ㉡ 환경 관련 법 만들기 ☐

4 친환경 제품은 누가 개발합니까?

㉠ 정부 ☐   ㉡ 기업 ☐   ㉢ 시민 단체 ☐

5 지구촌 환경문제를 해결하기 위해 정부가 하는 일은 무엇입니까?

- ㉠ 일회용품 사용을 권장한다. ☐
- ㉡ 환경 관련 제도를 만들어 실천하도록 한다. ☐

❷ 지속가능한 미래를 위한 과제와 우리가 할 일

지속가능한 미래를 위한 과제

| 친환경적 생산과 소비 방식의 확산 | 빈곤과 기아 퇴치 | 문화적 편견과 차별 해소 |

지속가능한 미래 지구촌 사람들이 현재뿐만 아니라 미래 세대의 환경과 발전을 고려하여 책임감 있게 행동할 때 다가올 미래

지속가능한 미래를 위해 우리가 할 일

집에서
· 에너지와 자원 절약하기
· 안 입는 옷 기부하기

슈퍼마켓에서
· 가까운 데서 생산된 물건 사기
· 어려운 이웃 돕기

학교에서
· 분리배출 잘하기
· 급식 다 먹기
· 채식 메뉴 건의하기

✳ 중요한 내용을 정리해 보세요!

● 지속가능한 미래란?

● 지속가능한 미래를 위한 과제는?

● 지속가능한 미래를 위해 우리가 할 일은?

2 단원

개념 확인하기

정답 29쪽

🍃 다음 문제를 읽고 답을 찾아 ☐ 안에 ✔표를 하시오.

1 '지구촌 사람들이 현재뿐만 아니라 미래 세대의 환경과 발전을 고려하여 책임감 있게 행동할 때 다가올 미래'는 무엇입니까?

㉠ 지속가능한 미래 ☐
㉡ 발전 가능한 미래 ☐

2 지속가능한 미래를 위한 과제는 무엇입니까?

㉠ 경제적인 생산과 소비 방식의 확산 ☐
㉡ 친환경적인 생산과 소비 방식의 확산 ☐

3 지속가능한 미래를 위해 우리가 할 일은 무엇입니까?

㉠ 안 입는 옷은 무조건 버린다. ☐
㉡ 안 입는 옷은 필요한 곳에 기부한다. ☐

4 지속가능한 미래를 위해 가까운 데서 생산된 과일을 사는 까닭은 무엇입니까?

㉠ 이산화 탄소 배출량이 적기 때문에 ☐
㉡ 이산화 탄소 배출량이 많기 때문에 ☐

5 지속가능한 미래를 위해 우리가 학교에서 할 수 있는 일은 무엇입니까?

㉠ 분리배출을 잘한다. ☐
㉡ 고기 메뉴를 더 많이 먹자고 건의한다. ☐

1 다음 환경문제에 직접적으로 영향을 주는 원인은 어느 것입니까? ( )

△ 태평양 위 해양 쓰레기

① 공장 설립 증가
② 배송·배달 증가
③ 자동차 생산 증가
④ 열대 우림 지역 개발
⑤ 냉·난방기 이용량 증가

2 다음 ☐ 안에 들어갈 수 있는 말로만 짝 지어진 것은 어느 것입니까? ( )

> 개인은 ☐ 을 구입하여 환경문제 해결에 도움을 줄 수 있습니다.

① 친환경 제품, 일회용품
② 일회용품, 에너지 저효율 제품
③ 일회용품, 에너지 고효율 제품
④ 친환경 제품, 에너지 고효율 제품
⑤ 에너지 저효율 제품, 에너지 고효율 제품

3 환경문제 해결을 위한 기업의 노력으로 알맞지 않은 것은 어느 것입니까? ( )

① 친환경 기술 개발하기
② 종이로 만든 포장재 사용하기
③ 비닐 포장이 없는 제품 만들기
④ 에너지가 낭비되지 않도록 노력하기
⑤ 재사용할 수 없는 가방에 담아 배송하기

4 환경문제 해결을 위한 정부의 노력으로 알맞지 않은 것을 보기 에서 찾아 기호를 쓰시오.

> **보기**
> ㉠ 과대 포장을 단속합니다.
> ㉡ 매장 내에서 일회용품 사용을 금지합니다.
> ㉢ 가전제품의 에너지 소비 효율 등급 기준을 낮춥니다.

( )

천재교육, 동아출판

5 다음 ☐ 안에 들어갈 말로 알맞은 것은 어느 것입니까?
( )

> 2014년 ☐ 환경 총회에서는 '해양 플라스틱 쓰레기와 미세 플라스틱에 관한 결의안'이 채택되어 세계 여러 나라의 전문가들이 해양 쓰레기를 줄이는 방안을 고민했습니다.

① 파리
② 그린피스
③ 국제 연합(UN)
④ 국제 앰네스티
⑤ 세계 자연 기금

천재교육, 천재교과서, 금성출판사, 동아출판, 비상교과서, 비상교육, 아이스크림 미디어

6 국제 연합(UN)의 지속가능 발전 목표로 알맞지 <u>않은</u> 것은 어느 것입니까? (   )

① 성 평등

② 기아 종식

③ 양질의 교육

④ 기후 변화와 대응

⑤ 초고속 경제 발전

8 다음과 같은 문제의 해결 방법을 보기 에서 찾아 기호를 쓰시오.

> 아시아인이라는 이유로 놀림받고 따돌림을 당해요.

보기

㉠ 빈곤과 기아 퇴치

㉡ 문화적 편견과 차별 해소

㉢ 친환경적 생산과 소비 방식의 확산

(   )

9 지속가능한 미래를 위해 우리가 실천할 수 있는 일로 알맞은 것은 어느 것입니까? (   )

① 잘 안 입는 옷은 바로 버리기

② 쓰레기를 분리배출해서 버리기

③ 먼 나라에서 생산된 과일 구입하기

④ 급식 메뉴에 튀긴 음식 추가 건의하기

⑤ 여름철 실내 온도를 20℃~21℃로 맞추기

7 다음 인물이 일반 종이 대신 재생 용지를 사용하는 까닭으로 알맞은 것은 어느 것입니까? (   )

> 우리 회사는 재생 용지만을 사용해서 상품을 만들어요. 재생 용지는 폐지나 돌가루, 코코넛 껍질 등으로 만듭니다.

① 훨씬 비싼 가격에 팔 수 있기 때문에

② 버려진 자원으로 만들 수 있기 때문에

③ 더 많은 나무를 사용할 수 있기 때문에

④ 생산할 때 드는 에너지가 더 많기 때문에

⑤ 제로 웨이스트 숍에서 팔 수 있기 때문에

10 지속가능한 미래의 지구촌으로 알맞지 <u>않은</u> 것은 어느 것입니까? (   )

① 빙하가 많이 있는 지구

② 갈등 없이 평화로운 지구

③ 사라진 동식물이 많은 지구

④ 모든 사람의 인권이 보호받는 지구

⑤ 모두가 건강하게 살 수 있는 깨끗한 지구

2
단원

연습 🦉 도움말을 참고하여 내 생각을 차근차근 써 보세요.

1 다음은 지구촌에서 일어나는 문제입니다. [총 10점]

[출처: 연합뉴스]

⬆ 산호 백화 현상이 진행된 산호초   ⬆ 태평양 위 거대한 쓰레기섬

(1) 위의 자료와 관련하여 지구촌에서 나타나는 문제는 무엇인지 **보기** 에서 찾아 쓰시오. [2점]

> **보기**
> • 환경문제   • 빈곤 문제   • 차별 문제

(   )

(2) 다음은 위와 같은 지구촌 문제가 일어나는 까닭 중 하나입니다. ▢ 안에 알맞은 말을 쓰시오. [2점]

> 사람들의 필요에 따라 [   ]이 무분별하게 이루어지고 있기 때문입니다.

(   )

(3) 위와 같은 지구촌 문제에 모두가 관심을 갖고 함께 해결해야 하는 까닭을 쓰시오. [6점]

> 🦉 지속가능한 미래를 생각하며 지구촌 문제를 함께 해결해야 하는 까닭을 써 보세요.
> **꼭 들어가야 할 말** 미래 / 환경

_____

_____

2 다음은 환경에 대한 신문 기사입니다. [총 10점]

> ○○ 신문   20△△년 △△월 △△일
> [   ] 사라진다
> 우리나라 국민 한 명이 일 년 동안 쓰는 [   ] 의 양은 독일의 여섯 배, 핀란드의 백 배가 된다고 한다. 현재 [   ] 때문에 여러 환경문제가 발생하고 있다.

(1) 위의 ▢ 안에 공통으로 들어갈 알맞은 말에 ○표를 하시오. [2점]

　㉠ 친환경 제품　　（　　　　）

　㉡ 일회용 비닐봉지 （　　　　）

(2) 위 신문 기사에 대한 생각으로 알맞은 것을 **보기** 에서 찾아 기호를 쓰시오. [2점]

> **보기**
> ㉠ 비닐봉지를 지금보다 더 많이 사용해야 합니다.
> ㉡ 우리가 한 명당 사용하는 비닐봉지의 양이 많은 것 같습니다.

(   )

(3) 위 기사와 관련하여 지구촌 환경문제 해결을 위해 우리가 할 수 있는 노력을 쓰시오. [6점]

_____

_____

3 다음은 여러 친구들이 겪고 있는 일입니다. [총 10점]

(1) 위 ㉠, ㉡ 중 인종에 대한 편견으로 힘들어하는 모습을 찾아 기호를 쓰시오. [2점]

( )

(2) 다음은 위의 친구들이 힘들어하는 까닭입니다. ☐ 안에 들어갈 알맞은 말을 쓰시오. [2점]

> 지구촌에는 서로 다른 ☐ 에 대한 편견과 차별로 힘들어하는 사람들이 많습니다.

( )

(3) 위와 같은 문제의 해결을 위해 할 수 있는 노력을 쓰시오. [6점]

_____

_____

4 다음은 세계시민으로서 생활하기를 실천하는 모습입니다. [총 12점]

(1) 위 ㉠~㉢ 중 세계시민으로서 바르게 생활하지 못한 모습을 찾아 기호를 쓰시오. [2점]

( )

(2) 위 (1)번 답의 잘못된 부분을 고쳐 쓰시오. [4점]

_____

_____

(3) 위 모습을 바탕으로 세계시민이 되기 위해서는 어떻게 행동해야 하는지 한 가지만 쓰시오. [6점]

_____

_____

11종 공통

1 독도의 위치와 모습에 대한 설명으로 알맞은 것은 어느 것입니까? (　　　)

① 크고 작은 바위섬 107개가 있다.

② 남해의 한가운데에 자리 잡고 있다.

③ 우리나라의 남쪽 끝에 있는 섬이다.

④ 선박의 항로로서 중요한 위치에 있다.

⑤ 북도와 남도라는 두 개의 큰 섬이 있다.

11종 공통

2 다음에서 설명하는 독도 주변 바다의 밑바닥에 있는 자원은 어느 것입니까? (　　　)

> 천연가스와 물이 결합한 고체 상태의 물질로 불을 붙이면 타는 성질이 있어 '불타는 얼음'이라고도 부릅니다.

① 석탄

② 석유

③ 태양열

④ 바이오 가스

⑤ 메탄 하이드레이트

11종 공통

3 독도가 기록되어 있는 옛 지도에 대한 설명으로 알맞은 것은 어느 것입니까? (　　　)

①「대일본전도」에는 독도가 표기되어 있다.

②「대일본전도」는 조선이 공식적으로 만들었다.

③『신증동국여지승람』「팔도총도」에는 우산도가 표기되어 있다.

④『신증동국여지승람』「팔도총도」에는 울릉도가 그려져 있지 않다.

⑤「대일본전도」가『신증동국여지승람』「팔도총도」보다 더 오래된 지도이다.

11종 공통

4 안용복에 대한 설명으로 알맞은 것은 어느 것입니까?

(　　　)

① 독도 최초의 주민이 되었다.

② 울릉도 도해 금지령을 작성했다.

③ 6·25 전쟁 때 일본으로부터 독도를 지켰다.

④ 일본에 건너가 울릉도와 독도가 우리나라 영토임을 확인받았다.

⑤ 울릉도 인근에서 고기잡이를 하던 일본 어민들과 친하게 지냈다.

11종 공통

5 통일을 위한 정치적 노력은 어느 것입니까? (　　　)

① 개성 공업 지구 가동

② 남북 정상 회담 개최

③ 남북 예술단 합동 공연

④ 경의선 및 동해선 연결, 현대화 착공

⑤ 남북한 평창 동계 올림픽 선수단 공동 입장

6 바람직한 남북통일의 방향으로 알맞은 것은 어느 것입니까? (   )

① 전쟁으로 통일을 해야 한다.

② 통일 이전에는 서로 교류하지 않는다.

③ 통일 이후에는 내전이 일어나야 한다.

④ 교류와 협력을 바탕으로 통일을 해야 한다.

⑤ 북한의 의견만 반영하여 통일을 해야 한다.

11종 공통

7 남북통일이 되면 달라질 한국의 모습으로 알맞은 것은 어느 것입니까? (   )

① 전통문화가 사라질 것이다.

② 남북한 인구가 합쳐져 전체 인구가 줄어들 것이다.

③ 전쟁에 대한 두려움과 전쟁 가능성이 커질 것이다.

④ 북한의 풍부한 지하자원을 이용할 수 있을 것이다.

⑤ 자동차나 기차를 타고 미국이나 오스트레일리아에 갈 수 있을 것이다.

11종 공통

8 지구촌 갈등에 대한 설명으로 알맞은 것은 어느 것입니까? (   )

① 한 나라 안에서는 전쟁이 일어날 수 없다.

② 지구촌 갈등은 일부 지역에서만 나타난다.

③ 지구촌 갈등은 한 가지 원인으로만 발생한다.

④ 일부 지역의 갈등이 지구촌 전체에 영향을 준다.

⑤ 지구촌 갈등은 다양하게 나타나지만 대부분 빠르게 해결된다.

천재교육

9 다음 나라에서 발생한 일은 어느 것입니까? (   )

80여 개의 민족으로 이루어진 에티오피아는 민족 간 종교와 언어 차이, 경제적·정치적 차별 등으로 갈등이 끊이지 않았습니다.

① 경제가 성장했다.

② 내전이 발생했다.

③ 하나의 언어로 통일되었다.

④ 수출 경쟁력이 강화되었다.

⑤ 아프리카의 평화를 상징하는 나라가 되었다.

11종 공통

10 다음에서 설명하는 단체는 무엇입니까? (   )

여러 국가들이 모여서 지구촌 문제를 함께 해결하려고 만든 조직입니다.

① 정부

② 의회

③ 국제기구

④ 비정부 기구

⑤ 한국 국제 협력단

11 국제 연합(UN)에 대한 설명으로 알맞은 것은 어느 것입니까? (   )

① 우리나라는 가입하지 않았다.

② 프랑스의 청년 의사가 만들었다.

③ 지구촌 갈등 문제 해결을 위해 노력한다.

④ 지구촌 갈등을 전쟁으로 해결하고자 만들었다.

⑤ 산하에는 다양한 비정부 기구가 설립되어 있다.

천재교과서, 교학사, 금성출판사, 김영사, 동아출판,
비상교과서, 비상교육, 아이스크림 미디어, 지학사

12 다음과 같은 일을 하는 비정부 기구는 어느 곳입니까?
(   )

> 가난, 전쟁, 자연재해 등으로 터전을 잃어버린 사람들에게 집을 지어 주고 있습니다.

① 해비타트

② 그린피스

③ 세이브 더 칠드런

④ 국경 없는 의사회

⑤ 지뢰 금지 국제 운동

11종 공통

13 국적과 종교를 넘은 희생으로 남수단에서 의료 봉사와 교육에 헌신한 '한국의 슈바이처'는 누구입니까?
(   )

① 이태석   ② 테레사 수녀

③ 마틴 루서 킹   ④ 조디 윌리엄스

⑤ 말랄라 유사프자이

천재교육, 천재교과서, 금성출판사, 김영사, 동아출판,
미래엔, 비상교과서, 비상교육, 아이스크림 미디어

14 지구촌 평화를 위해 다음과 같은 활동을 한 인물은 누구입니까? (   )

> 소녀와 여성에 대한 억압에 반대하고 모든 어린이의 교육받을 권리를 위해 활동한 파키스탄의 운동가입니다.

① 간디

② 이태석

③ 마틴 루서 킹

④ 조디 윌리엄스

⑤ 말랄라 유사프자이

11종 공통

15 일회용 비닐봉지 사용을 금지하는 까닭으로 알맞은 것은 어느 것입니까? (   )

① 에너지를 절약하기 위해서

② 재활용 업체를 지원하기 위해서

③ 동물들의 먹이로 사용하기 위해서

④ 환경문제가 발생하고 있기 때문에

⑤ 비닐봉지 생산 업체 수가 줄어들고 있기 때문에

2 단원

16 다음 사진과 가장 관련 있는 환경문제는 어느 것입니까?
( )

⬆ 브라질 아마존의 지역 개발

① 해수면의 상승
② 오존층의 파괴
③ 미세 먼지 증가
④ 열대 우림 파괴
⑤ 미세 플라스틱 증가

18 '먹을 것이 없어 굶주리는 것'을 나타내는 말은 어느 것입니까? ( )

① 결핍 ② 기아
③ 풍요 ④ 고통
⑤ 불평등

19 지구촌에 빈곤과 기아 문제가 나타나는 원인으로 알맞지 <u>않은</u> 것은 어느 것입니까? ( )

① 전쟁
② 자연재해
③ 열악한 환경
④ 게으른 국민성
⑤ 식량 문제의 불균형

2
단원

진도 완료
체크

20 세계시민으로서 우리가 할 수 있는 일로 알맞은 것은 어느 것입니까? ( )

① 급식을 먹을 때 음식을 남긴다.
② 지구촌 문제에 무관심해야 한다.
③ 친환경 마크가 있는 물건을 구입한다.
④ 물건을 살 때에는 비닐봉지를 사용한다.
⑤ 경제적으로 어려운 나라의 친구들과 어울리지 않는다.

금성출판사, 김영사, 동아출판, 비상교과서, 비상교육

17 환경문제를 해결하기 위해 세계 자연 기금(WWF)에서 한 일은 무엇입니까? ( )

① 열대 우림을 없앴다.
② 팜유 생산을 늘렸다.
③ 지구촌 전등 끄기 캠페인을 했다.
④ 일회용 플라스틱 생산자들을 지원했다.
⑤ 비닐봉지를 사용하자는 캠페인을 벌였다.

· 답안 입력하기 · 평가 분석표 받기

2단원

11종 공통

1 독도의 모습에 대한 설명으로 알맞지 <u>않은</u> 것은 어느 것입니까? (   )

① 화산섬이다.

② 봉우리와 동굴 등이 있다.

③ 큰 섬 한 개로 이루어져 있다.

④ 대부분 암석으로 이루어져 있다.

⑤ 섬 주위에 여러 개의 바위섬들이 있다.

11종 공통

2 독도를 지키려는 우리 정부의 노력으로 알맞지 <u>않은</u> 것은 어느 것입니까? (   )

① 독도 경비대원을 파견했다.

② 우리나라 사람들이 거주하지 못하게 감시하고 있다.

③ 독도의 생태계를 보호하기 위한 법령을 시행하고 있다.

④ 독도에 경찰이 머무르게 하여 독도를 지키게 하고 있다.

⑤ 외국에 독도가 우리 영토임을 알리는 홍보 활동을 하고 있다.

11종 공통

3 반크에 대한 설명으로 알맞은 것은 어느 것입니까?

(   )

① 비정부 기구이다.

② 정부에 속한 단체이다.

③ 사이버 외교 사절단이다.

④ 국제 연합(UN)의 전문 기구이다.

⑤ 독도에서 거주하며 활동하는 단체이다.

11종 공통

4 남북통일을 위한 노력으로 알맞지 <u>않은</u> 것은 어느 것입니까? (   )

① 경부 고속 국도 개통

② 남북 정상 회담 개최

③ 남북 기본 합의서 채택

④ 남북 예술단 합동 공연

⑤ 남북 철도 및 도로 연결 사업

11종 공통

5 다음 사진에 대한 설명으로 알맞지 <u>않은</u> 것은 어느 것입니까? (   )

△ 개성 공업 지구

① 6·25 전쟁 전에 만들어졌다.

② 통일을 위한 경제적 노력이다.

③ 활발하게 운영되었던 적이 있다.

④ 남한과 북한이 교류하기 위한 노력 중 하나이다.

⑤ 남한의 자본과 기술력에 북한의 노동력이 결합되었다.

6 1991년에 남북한이 남북 화해, 교류, 협력 등의 내용을 공동으로 합의했던 사례는 어느 것입니까? (   )

① ⚠️ 남북 기본 합의서 채택

② ⚠️ 경의선 및 동해선 철도·도로 연결 착공식

③ ⚠️ 6·15 남북 공동 선언

④ ⚠️ 7·4 남북 공동 성명

8 다음과 같은 일이 일어나고 있는 나라는 어디입니까? (   )

> 독재 정치와 종교 문제로 국내에 크고 작은 전쟁이 계속되고 있습니다.

① 북한
② 일본
③ 시리아
④ 프랑스
⑤ 대한민국

9 지구촌 갈등이 지속되는 까닭으로 알맞지 <u>않은</u> 것은 어느 것입니까? (   )

① 국가들이 지켜야 하는 강력한 법이 있어서
② 다양한 사람들이 자기 이익을 먼저 생각해서
③ 다양한 사람들이 서로 다른 생각을 하고 있어서
④ 강대국들이 과거의 잘못을 책임지려고 하지 않아서
⑤ 역사적으로 오랫동안 쌓여 온 미움과 갈등이 커져서

7 남북한이 통일했을 때의 좋은 점으로 알맞지 <u>않은</u> 것은 어느 것입니까? (   )

① 이산가족이 만날 수 있다.
② 통일되기 전보다 국방비를 늘릴 수 있다.
③ 철도를 이용해서 외국과 더욱 활발하게 교류할 수 있다.
④ 우리나라의 전통문화와 역사를 남북한이 함께 발전시켜 나갈 수 있다.
⑤ 북한의 자원과 남한의 기술력을 이용해 경쟁력 있는 제품을 만들 수 있다.

10 다음 ☐ 안에 공통으로 들어갈 알맞은 말은 무엇입니까? (   )

> • ☐은/는 지구촌 갈등을 해결하기 위한 여러 국제기구 활동에 참여하고 국제 조약에 가입하며, 평화적인 외교를 하려고 노력합니다.
> • 지구촌 갈등을 평화적으로 해결하기 위해 두 개 이상의 ☐들이 모여 국제기구를 만들었습니다.

① 개인
② 기업
③ 국가
④ 시민 단체
⑤ 비정부 기구

11종 공통

11 국제 연합(UN)의 전문 기구가 **아닌** 것은 무엇입니까?
( )

① 유네스코(UNESCO)
② 국제 노동 기구(ILO)
③ 자유무역협정(FTA)
④ 국제 원자력 기구(IAEA)
⑤ 유엔 난민 기구(UNHCR)

11종 공통

2 단원

12 국경 없는 의사회에서 하는 활동은 어느 것입니까?
( )

① 자연 보호 운동을 한다.
② 많은 사람에게 핵무기의 위험성을 알린다.
③ 모든 어린이의 생존과 보호를 위해 활동한다.
④ 터전을 잃어버린 사람들에게 집을 지어 준다.
⑤ 도움이 필요한 사람들에게 의료 서비스를 제공한다.

천재교육, 천재교과서, 교학사, 금성출판사, 김영사,
동아출판, 비상교과서, 아이스크림 미디어

13 다음과 같은 일을 하는 비정부 기구는 무엇입니까?
( )

> 지구의 환경과 평화를 지키고자 다양한 방법으로 핵실험 반대, 자연 보호 운동을 하고 있습니다.

① 유네스코
② 그린피스
③ 해비타트
④ 세이브 더 칠드런
⑤ 국경 없는 의사회

11종 공통

14 이태석에 대한 설명으로 알맞지 **않은** 것은 어느 것입니까? ( )

① 병원을 짓고 직접 진료를 했다.
② 탈레반 점령 지역의 생활을 알렸다.
③ 평생 남수단 사람들을 위해 헌신했다.
④ 남수단의 '톤즈'라는 마을에서 활동했다.
⑤ 마을 사람들과 힘을 합쳐 학교를 만들었다.

천재교육, 천재교과서, 금성출판사, 김영사, 동아출판, 미래엔,
비상교과서, 비상교육, 아이스크림 미디어, 지학사

15 다음 사진과 관련 있는 오늘날의 환경문제는 무엇입니까? ( )

[출처: 연합뉴스]

① 사라지는 빙하
② 열대 우림 파괴
③ 초미세 먼지 증가
④ 심각해진 지구 온난화
⑤ 플라스틱 쓰레기의 증가

16 환경문제를 해결하기 위한 개인의 노력과 관계 <u>없는</u> 것은 어느 것입니까? (   )

11종 공통

①
△ 올바른 방법으로 분리배출 하기

②
△ 사용하지 않는 전자 제품의 플러그 뽑기

③
△ 일회용품 대신 개인 컵 사용하기

④
△ 가전제품의 에너지 소비 효율 등급 기준 높이기

17 파리 기후 협정에 대한 설명으로 알맞은 것은 어느 것 입니까? (   )

천재교육 교학사, 금성출판사, 동아출판, 미래엔,
비상교과서, 비상교육, 아이스크림 미디어

① 우리나라는 협정에 참여하지 않았다.
② 온실가스 배출을 줄이기 위한 협정이다.
③ 플라스틱 쓰레기를 줄이기 위한 협정이다.
④ 2015년 12월 대한민국 서울에서 체결되었다.
⑤ 세계 여러 나라의 전문가들이 해양 쓰레기를 줄이는 방안을 고민했다.

---

18 다음과 같은 행동을 통해 해결할 수 있는 지구촌 문제는 무엇입니까? (   )

11종 공통

> 소비자 △△씨: 저는 '제로 웨이스트 숍'을 자주 이용해요. 여기서 파는 모든 물건은 포장이 없어서 직접 용기를 들고 와 필요한 만큼만 사 가요.

① 공기 오염 문제   ② 기아와 빈곤 문제
③ 지구 온난화 문제   ④ 내전과 난민 문제
⑤ 플라스틱 쓰레기 문제

19 다음에서 설명하는 것은 무엇입니까? (   )

11종 공통

> 지구촌 문제가 우리의 문제임을 알고 이를 해결하기 위해 협력하는 자세를 지닌 사람

① 국민   ② 과학자
③ 발명가   ④ 세계시민
⑤ 자원봉사자

2 단원

진도 완료 체크

20 지구촌의 지속가능한 미래를 위해 우리가 실천할 수 있는 일로 알맞지 <u>않은</u> 것은 어느 것입니까? (   )

11종 공통

① 전기를 아껴 쓴다.
② 물을 필요한 만큼만 받아서 사용한다.
③ 지구촌 이웃을 돕는 모금 활동에 참여한다.
④ 안 입는 옷은 재활용할 수 있는 곳에 기부한다.
⑤ 급식 메뉴에서 채식 식단을 빼 달라고 건의한다.

· 답안 입력하기   · 평가 분석표 받기

MEMO

우리 아이의 실력을 정확히 점검하는 기회

40년의 역사
전국 초·중학생 213만 명의 선택

HME 학력평가
해법수학 · 해법국어

응시 학년	수학	초등 1학년 ~ 중학 3학년
	국어	초등 1학년 ~ 초등 6학년

응시 횟수	수학	연 2회 (6월 / 11월)
	국어	연 1회 (11월)

주최 **천재교육** | 주관 **한국학력평가 인증연구소** | 후원 **서울교육대학교**

*응시 날짜는 변동될 수 있으며, 더 자세한 내용은 HME 홈페이지에서 확인 바랍니다.

온라인
학습북

수학 전문 교재

● 연산 학습

| 빅터연산 | 예비초~6학년, 총 20권 |
| 창의융합 빅터연산 | 예비초~4학년, 총 16권 |

● 개념 학습

| 개념클릭 해법수학 | 1~6학년, 학기용 |

● 수준별 수학 전문서

| 해결의법칙(개념/유형/응용) | 1~6학년, 학기용 |

● 단원평가 대비

| 수학 단원평가 | 1~6학년, 학기용 |

● 단기완성 학습

| 초등 수학전략 | 1~6학년, 학기용 |

● 상위권 학습

최고수준 S 수학	1~6학년, 학기용
최고수준 수학	1~6학년, 학기용
최강 TOT 수학	1~6학년, 학년용

● 경시대회 대비

| 해법 수학경시대회 기출문제 | 1~6학년, 학기용 |

예비 중등 교재

● 해법 반편성 배치고사 예상문제 　　6학년
● 해법 신입생 시리즈(수학/영어) 　　6학년

맞춤형 학교 시험대비 교재

● 열공 전과목 단원평가 　　1~6학년, 학기용(1학기 2~6년)

한자 교재

● 해법 NEW 한자능력검정시험 자격증 한번에 따기 　　6~3급, 총 8권
● 씽씽 한자 자격시험 　　8~7급, 총 2권
● 한자전략 　　1~6학년, 총 6단계

배움으로 행복한 내일을 꿈꾸는
천재교육 커뮤니티 안내 · · ·

교재 안내부터 구매까지 한 번에!
천재교육 홈페이지

자사가 발행하는 참고서, 교과서에 대한 소개는 물론
도서 구매도 할 수 있습니다. 회원에게 지급되는 별을 모아
다양한 상품 응모에도 도전해 보세요!

다양한 교육 꿀팁에 깜짝 이벤트는 덤!
천재교육 인스타그램

천재교육의 새롭고 중요한 소식을 가장 먼저 접하고 싶다면?
천재교육 인스타그램 팔로우가 필수!
깜짝 이벤트도 수시로 진행되니 놓치지 마세요!

수업이 편리해지는
천재교육 ACA 사이트

오직 선생님만을 위한, 천재교육 모든 교재에 대한 정보가 담긴
아카 사이트에서는 다양한 수업자료 및 부가 자료는 물론
시험 출제에 필요한 문제도 다운로드하실 수 있습니다.

https://aca.chunjae.co.kr

천재교육을 사랑하는 샘들의 모임
천사샘

학원 강사, 공부방 선생님이시라면 누구나 가입할 수 있는 천사샘!
교재 개발 및 평가를 통해 교재 검토진으로 참여할 수 있는 기회는 물론
다양한 교사용 교재 증정 이벤트가 선생님을 기다립니다.

아이와 함께 성장하는 학부모들의 모임공간
튠맘 학습연구소

튠맘 학습연구소는 초·중등 학부모를 대상으로 다양한 이벤트와 함께
교재 리뷰 및 학습 정보를 제공하는 네이버 카페입니다.
초등학생, 중학생 자녀를 둔 학부모님이라면 튠맘 학습연구소로 오세요!

수학의 해법이 풀리다!

해결의 법칙
시리즈

단계별 맞춤 학습

개념, 유형, 응용의 단계별 교재로
교과서 차시에 맞춘 쉬운 개념부터
응용·심화까지 수학 완전 정복

혼자서도 OK!

이미지로 구성된 핵심 개념과 셀프 체크,
모바일 코칭 시스템과 동영상 강의로
자기주도 학습 및 홈 스쿨링에 최적화

300여 명의 검증

수학의 메카 천재교육 집필진과
300여 명의 교사·학부모의
검증을 거쳐 탄생한 친절한 교재

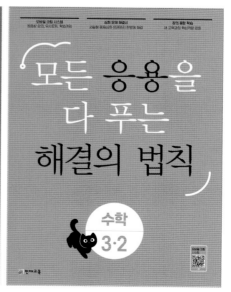

흔들리지 않는 탄탄한 수학의 완성! (초등 1~6학년 / 학기별)

#홈스쿨링

우등생

정답은 정확하게
풀이는 자세하게

홈
풀이집

사회 6·2

천재교육

꼼꼼 풀이집

정답과 풀이

6-2

1. 세계의 여러 나라들

❶ 지구, 대륙, 그리고 국가들

개념 다지기 11쪽

1 ㉠ 2 ⑤ 3 ③ 4 ④
5 세현 6 ㉡

1 지구본은 실제 지구의 모습을 작게 줄인 모형으로, 세계 여러 나라의 위치와 영토 모양이 실제와 비슷하게 나타납니다.

2 본초 자오선은 경도 0°를 나타낸 선입니다.

3 지구본과 세계지도에는 위선과 경선이 있어 세계 여러 나라의 위치를 숫자로 정확하게 나타낼 수 있습니다.

> **왜 틀렸을까?**
> ①, ④ 세계지도에 대한 설명입니다.
> ②, ⑤ 지구본에 대한 설명입니다.

4 디지털 영상 지도는 최신 정보가 빠르게 반영되어 정확도가 높고, 편리하게 사용할 수 있습니다.

5 지구본, 세계지도, 디지털 영상 지도 등 여러 가지 공간 자료를 통해 세계 여러 나라의 위치, 영토 모양, 환경 등을 알 수 있습니다.

6 제시된 디지털 영상 지도에서 ㉡을 누르면 일반 지도, 위성 지도, 지형도 등 지도의 종류를 선택할 수 있습니다.

개념 다지기 15쪽

1 ① 2 ④ 3 ④ 4 ④
5 ⑤ 6 희원

1 대양에는 태평양, 대서양, 인도양, 북극해, 남극해 등이 있습니다.

2 오세아니아는 태평양과 인도양 사이에 위치하며 오스트레일리아, 뉴질랜드 등의 나라가 속해 있는 대륙입니다.

3 남아메리카는 태평양과 대서양 사이에 위치하고 북아메리카 대륙의 남쪽에 있습니다.

4 자메이카는 북아메리카에 속해 있는 나라입니다.

5 러시아는 우리나라보다 약 77배 정도 넓습니다.

6 세계 여러 나라의 영토 모양은 국경선, 해안선, 영토의 길이 등에 따라 다양합니다.

단원 실력 쌓기 16~19쪽

Step 1
1 세계지도 2 위치 3 대서양 4 아시아
5 바티칸 시국 6 (1) ㉠ (2) ㉡ 7 ①
8 ㉠ 9 ⑤ 10 예린 11 ①, ③
12 아프리카 13 ④ 14 ④

Step 2
15 (1) 예 위치 (2) 예 다르게
16 (1) 인도양 (2) 예 아프리카, 아시아, 오세아니아 대륙의 사이에 있다.
17 예 해안선이 복잡하다.

> 15 세계지도
> 16 (1) 대양
>   (2) 아시아
> 17 아이슬란드

Step 3
18 ㉠ 아시아 ㉡ 북아메리카 ㉢ 태평양 ㉣ 남극해
19 남아메리카 20 예 가장 넓은 대륙이다. 우리나라가 속해 있다. 세계 인구의 절반 이상이 살고 있다.

1 세계지도는 세계 여러 나라의 전반적인 특징을 이해하는 데 효과적이라는 장점이 있습니다.

2 디지털 영상 지도는 항공 사진과 위성 영상 정보를 이용해 만든 지도입니다.

3 대서양은 북반구와 남반구에 걸쳐 있습니다.

4 가장 큰 대륙인 아시아는 세계 육지 면적의 약 30%를 차지합니다.

5 바티칸 시국의 면적은 0.44km²로 우리나라의 경복궁 정도의 면적입니다.

6 지구본과 세계지도에는 위선과 경선이 그어져 있어 위도와 경도를 이용해 여러 나라의 위치를 나타낼 수 있습니다.

7 위선과 경선은 지구나 지구본 위에 위치를 찾기 편리하도록 나타낸 선으로, 위도와 경도를 나타냅니다.

> **더 알아보기**
>
> **적도와 본초 자오선**
> • 적도: 위도가 0°인 선으로, 적도를 기준으로 북쪽의 위도를 북위, 남쪽의 위도를 남위라고 합니다.
> • 본초 자오선: 경도가 0°인 선으로, 본초 자오선을 기준으로 동쪽의 경도를 동경, 서쪽의 경도를 서경이라고 합니다.

8 디지털 영상 지도의 ㉠ 버튼을 누르면 자동차, 대중교통, 도보, 자전거의 경로를 찾을 수 있습니다.

> **왜 틀렸을까?**
>
> ㉡ 일반 지도, 위성 지도, 지형도 등 지도의 종류를 선택할 수 있는 기능입니다.
> ㉢ 현재 나의 위치를 지도에서 확인할 수 있는 기능입니다.
> ㉣ 어떤 장소의 실제 모습을 여러 각도의 사진으로 확인할 수 있는 기능입니다.

9 지구본, 세계지도, 디지털 영상 지도를 활용하여 세계 여러 나라를 조사할 수 있습니다. 세계 여러 나라를 조사하고 소개할 때는 먼저 주제를 정하고, 공간 자료를 활용해 다양한 정보를 수집한 다음, 소개 자료를 만들어야 합니다.

10 지구에서 바다의 면적은 약 70%이고, 육지의 면적은 약 30%입니다. 대양은 넓은 면적을 차지하는 큰 바다를 말하며, 대륙은 바다로 둘러싸인 큰 땅덩어리를 말합니다.

11 태평양은 아시아, 오세아니아, 아메리카 대륙의 사이에 있습니다.

12 유럽 대륙의 남쪽에 있는 아프리카는 인도양, 대서양과 접해 있습니다. 아프리카에는 이집트, 나이지리아, 탄자니아 등의 나라가 속해 있습니다.

▲ 이집트의 피라미드와 스핑크스

▲ 탄자니아의 세렝게티 국립 공원

13 유럽은 아시아 대륙의 서쪽에 위치한 대륙으로 남쪽에는 아프리카 대륙이 있고, 북극해, 대서양과 접합니다. 유럽 대륙은 다른 대륙에 비교해 면적은 좁은 편이지만 프랑스, 독일, 스웨덴, 이탈리아, 폴란드, 루마니아, 핀란드, 노르웨이, 그리스 등 많은 나라가 있습니다.

14 이탈리아의 영토는 남북으로 길게 뻗은 형태이며, 장화 모양입니다.

> **더 알아보기**
>
> **영토의 모양이 사물이나 동물과 비슷한 나라**
> • 타이: 영토의 모양이 코끼리와 비슷합니다.
> • 소말리아: 영토의 모양이 부메랑과 닮았습니다.

15 둥근 지구를 평면에 옮겨 보면 북극이나 남극으로 갈수록 비어 있는 공간이 생기는데, 이 비어 있는 공간을 메우는 과정에서 땅과 바다의 모양이 실제와 달라집니다. 예를 들어 남아메리카는 그린란드보다 실제로 약 8배가 크지만 세계지도에서는 비슷한 크기로 표현되어 있습니다.

16 오늘날 인도양은 아시아, 아프리카, 오세아니아, 유럽을 잇는 주요 항로입니다.

채점 기준		
(1)	'인도양'이라고 정확히 씀.	
(2)	**정답 키워드** 아프리카 ┃ 아시아 ┃ 오세아니아 '아프리카, 아시아, 오세아니아 대륙의 사이에 있다.' 등의 내용을 정확히 씀.	상
	인도양의 위치를 썼으나 구체적이지 않음.	하

17 노르웨이는 해안선이 복잡하고 섬이 많습니다. 이외에도 해안선이 복잡한 나라에는 인도네시아, 일본 등이 있습니다. 세계 여러 나라의 영토 모양은 국경선, 해안선, 영토의 길이 등에 따라 다양합니다.

채점 기준	
정답 키워드 해안선 ┃ 복잡 '해안선이 복잡하다.' 등의 내용을 정확히 씀.	상
노르웨이 영토 모양의 특징을 썼으나 구체적이지 않음.	하

18 대륙에는 일반적으로 아시아, 유럽, 아프리카, 오세아니아, 북아메리카, 남아메리카 등이 있으며 대양에는 태평양, 대서양, 인도양, 북극해, 남극해 등이 있습니다.

19 태평양과 대서양 사이에 위치한 남아메리카 대륙은 많은 부분이 남반구에 속합니다. 남아메리카 대륙에는 아마존강이 페루, 브라질 등으로 흐르며 이 주변에는 세계에서 가장 넓은 열대 숲이 있습니다.

20 아시아는 북쪽으로 북극해, 남쪽으로 인도양, 동쪽으로 태평양과 닿아 있으며 아시아 대륙의 서쪽에는 유럽 대륙이, 남쪽에는 오세아니아 대륙이 있습니다.

❷ 세계의 다양한 삶의 모습

개념 다지기   23쪽

1 열대   **2** ④   **3** ⑤   **4** ②
5 ⓒ   **6** ⑤

1 적도 부근의 지역은 태양과 거리가 가까워 같은 면적에 받는 햇빛의 양이 많습니다.

2 한대 기후는 고위도 지역에 주로 나타납니다.

> **더 알아보기**
>
> **세계의 기후 분포**
> • 건조 기후: 위도 20° 부근과 바다에서 멀리 떨어진 곳에 나타납니다.
> • 열대 기후: 적도를 중심으로 한 저위도 지역에서 나타납니다.
> • 온대 기후: 위도 30°~60° 사이 중위도 지역에 주로 나타납니다.
> • 냉대 기후: 북반구의 중위도와 고위도 지역에 널리 나타납니다.
> • 고산 기후: 높은 산지가 있는 지역에서 나타납니다.

3 지구는 둥글기 때문에 위도에 따라 땅에 닿는 햇빛의 양이 다릅니다.

△ 위도별 땅에 닿는 햇빛의 양

4 열대 기후는 일 년 내내 덥고, 연 강수량이 많아 습합니다.

5 열대 기후 지역에서는 많은 비가 내려 땅의 양분이 부족해서 한 곳에서 오랫동안 농사를 지을 수 없기 때문에 이동식 화전 농업을 합니다.

6 건조 기후 지역에서는 다른 지역의 물을 끌어오는 공사를 하여 더 넓은 지역에서 농사지을 수 있도록 합니다.

> **왜 틀렸을까?**
>
> ① 냉대 기후 지역에 사는 사람들은 풍부한 나무를 이용해 통나무집을 지어 생활합니다.
> ② 건조 기후 지역의 사람들은 강이나 오아시스 주변에 모여 살며 밀, 대추야자 같은 작물을 재배합니다.
> ③ 사막 지역에서는 낙타를 이동수단으로 이용하기도 합니다.
> ④ 바나나, 커피를 재배하는 지역은 열대 기후 지역입니다.

개념 다지기   27쪽

1 ㉠, ㉡   **2** ④   **3** 냉대   **4** ②
5 ③   **6** ④

1 온대 기후 지역은 사계절이 뚜렷하고 기후가 온화하여 인구가 많습니다.

> **왜 틀렸을까?**
>
> ⓒ 한대 기후 지역에 대한 설명입니다.
> ⓔ 열대 기후 지역에 대한 설명입니다.

2 온대 기후 지역에서는 일찍부터 다양한 농업이 발달했습니다. 아시아에서는 강수량이 많은 여름 기후를 이용해 벼농사를 짓고 유럽이나 아메리카에서는 넓은 들판에서 밀을 재배하며 지중해 주변 지역에서는 건조한 여름에도 잘 자라는 올리브, 오렌지, 포도, 레몬 등의 작물을 재배합니다.

3 주로 러시아, 우리나라 북부, 캐나다, 미국의 북부 등에 냉대 기후가 나타납니다. 냉대 기후는 온대 기후와 마찬가지로 사계절의 변화가 뚜렷하지만 온대 기후에 비해 겨울이 길고 춥습니다.

4 냉대 기후 지역은 목재 생산이 많고 침엽수를 이용하여 종이를 만드는 공업이 발달했습니다.

◁ 종이를 만드는 공업이 발달한 냉대 기후 지역

5 적도 주변은 보통 덥고 습한 열대 기후가 나타나지만, 적도 부근의 고산 지대는 봄과 같이 온화한 기후가 나타납니다.

6 이글루는 한대 기후 지역의 사람들이 사냥을 나갔을 때 잠시 머물기 위해 지은 집입니다. 한대 기후의 일부 지역에서는 여름철에 땅이 녹아 건물이 기울어지는 것을 막기 위해 바닥을 지면에서 띄워 지은 고상 가옥에서 생활합니다.

> **왜 틀렸을까?**
>
> ① 온대 기후 지역의 생활 모습입니다.
> ② 건조 기후의 사막 지역 사람들의 생활 모습입니다.
> ③, ⑤ 건조 기후의 초원 지역 사람들의 생활 모습입니다.

개념 다지기 31쪽

1 ⑤   **2** (1) ㉡ (2) ㉠   **3** ㉡, ㉢
4 ⑤   **5** (2) ○   **6** ②

1 사막 지역에서는 뜨거운 햇볕과 모래바람으로부터 몸을 보호하기 위해 큰 천으로 머리와 온몸을 감쌉니다.

> **더 알아보기**
>
> **세계 여러 나라 사람들의 의생활**
> • 덥고 습한 케냐에 사는 사람들은 얇고 통풍이 잘되는 가벼운 옷을 입습니다.
> • 대부분 한대 기후가 나타나는 그린란드에 사는 사람들은 동물 가죽으로 긴 옷을 만들어 입고 장화와 같은 긴 신발을 신습니다.

2 전통, 기후, 관습 등 다양한 요인에 의해 나라마다 식문화가 다르게 나타납니다. 옥수수 생산량이 많은 멕시코에서는 얇게 구운 옥수수빵에 채소와 고기를 넣어 먹는 음식인 타코를 주로 먹고, 벼농사가 발달한 타이에서는 쌀로 만든 국수인 팟타이를 주로 먹습니다.

> **더 알아보기**
>
> **세계 여러 나라 사람들의 식생활**
> • 뉴질랜드의 마오리족은 화산이 많은 지형의 특징을 이용해 땅속에 굴을 파고 지열로 재료를 익혀 먹는 음식인 항이를 먹습니다.
> • 한대 기후 지역에서는 추운 날씨를 이용해 육류와 어류를 말리기 쉽기 때문에 육포나 어포가 발달했습니다.

3 기후, 지형 등 자연환경과 풍습, 종교 등의 인문환경은 세계 여러 나라 사람들의 생활 모습에 영향을 미칩니다.

4 이슬람교의 교리에 따라 이슬람교를 믿는 사람들은 정해진 한 달 동안에는 낮에 물과 음식을 먹지 않습니다. 또한 이슬람교를 믿는 사람들은 하루에 다섯 번 기도를 하고 돼지고기를 먹지 않습니다.

[출처: 셔터스톡]
◁ 정해진 시간에 기도를 하는 이슬람교의 의식

5 세계 여러 나라의 생활 모습은 각각의 고유한 가치를 가지고 있으므로 이해하고 존중해야 합니다.

6 세계 여러 나라 사람들의 생활 모습을 조사할 때는 가장 먼저 세계 여러 나라나 지역의 생활 모습 중 관심 있는 내용으로 주제를 정해야 합니다.

단원 실력 쌓기 32~35쪽

Step ①

1 기후   **2** 생태 관광   **3** 온대   **4** 흙
5 오른   **6** ①   **7** ④   **8** (1) ㉠ (2) ㉡
9 (1) ㉠ (2) ㉢ (3) ㉡   **10** ④   **11** ①
12 솜브레로   **13** 석규   **14** ④

Step ②

15 (1) ❶ 예 둥근 ❷ 예 위도
16 예 덥고 강수량이 많은 여름 기후를 이용해 벼농사를 짓는다. 넓은 들판에서 밀을 재배한다. 지중해 주변 지역에서는 올리브나 오렌지 등을 재배한다.
17 (1) 사리 (2) 예 인도 사람들이 주로 믿는 힌두교에서는 바느질하지 않은 옷을 깨끗하다고 여기기 때문이다.

15 적도	
16 인구	
17 (1) 바느질	
(2) 힌두교	

Step ③

18 타코   **19** ㉢
20 예 사람들의 생활 모습은 기후, 지형 등 자연환경과 풍습, 종교와 같은 인문환경의 영향을 받기 때문이다.

1 세계에는 지역별로 다양한 기후가 나타납니다. 세계의 주요 기후는 기온이나 강수량의 특징에 따라 열대, 건조, 온대, 냉대, 한대, 고산 기후로 나눌 수 있습니다.

2 열대 기후 지역에서는 밀림과 초원을 활용한 관광 산업이 활발하게 이루어지고 있습니다.

◁ 열대 기후 지역에서 발달한 사파리 관광

3 온대 기후는 위도 30°~60° 사이 중위도 지역에 주로 나타납니다.

4 사막에서는 오아시스 주변에 집을 짓고 삽니다. 흙벽돌집의 창문을 작게 만든 까닭은 모래바람이 자주 불기 때문입니다.

5 옛날 영국인들이 마차를 타고 다니던 때에 마부들이 오른쪽에 앉았던 풍습이 오늘날까지 이어져 오고 있습니다.

6 열대 기후는 아프리카, 아시아, 남아메리카 대륙의 적도 주위에서 나타납니다.

7 열대 기후 지역에서는 습하고 벌레가 많아 이를 피하기 위해 높은 나무나 기둥 위에 집을 짓고 생활합니다.

> **왜 틀렸을까?**
> ① 건조 기후 지역, ② 온대 기후 지역, ③ 한대 기후 지역의 생활 모습입니다.

8 건조 기후 지역 중에서는 강수량이 매우 적어 사막이 발달한 지역도 있고, 약간의 비가 내려서 초원이 형성된 지역도 있습니다.

9 사람들의 생활 모습은 기후와 같은 자연환경의 영향을 받습니다.

10 고산 기후는 높은 산지가 있는 지역에서 나타나는 기후입니다. 고도가 높은 곳에 위치해 봄과 같이 온화한 기후를 보이기 때문에 많은 사람이 모여 살며, 주민들은 서늘한 지역에서 잘 자라는 감자와 옥수수를 재배하기도 합니다.

> **왜 틀렸을까?**
> ①은 열대 기후 지역, ②와 ⑤는 냉대 기후 지역, ③은 건조 기후 지역의 생활 모습입니다.

11 팟타이는 새우, 두부, 숙주, 땅콩 따위에 생선 소스를 넣고 볶은 쌀국수로, 타이는 벼농사를 널리 짓기 때문에 쌀로 만든 음식이 발달했습니다.

12 챙이 넓은 솜브레로는 얼굴과 어깨까지 햇빛을 가려 줍니다.

> **더 알아보기**
> **지역마다 다른 모자의 모양**
> • 논라: 덥고 습한 베트남에서 햇빛과 비를 막기 위해 쓰는 모자입니다.
> • 우샨카: 날씨가 추운 러시아에서 주로 쓰는, 동물의 털로 만든 모자입니다.

13 세계 여러 나라에는 그 나라의 자연환경이나 인문환경에 따라 다양한 문화가 나타납니다. 서로 다른 생활 모습을 접할 때는 이를 존중하려는 마음가짐이 필요합니다.

14 세계 여러 나라 사람들의 생활 모습을 조사하기 위한 자료를 수집할 때는 인터넷을 검색하거나 책을 찾아보는 등 다양한 방법을 이용할 수 있습니다.

15 위도는 세계의 기후 분포에 큰 영향을 미칩니다. 저위도 지역에서 고위도 지역으로 갈수록 태양열이 분산되어 기온이 낮아집니다.

16 온대 기후 지역은 위도 30°~60° 사이에 주로 나타나며, 동부 아시아를 포함해 모든 대륙에서 나타납니다. 온대 기후 지역은 지역에 따라 강수량과 기온이 다르게 나타납니다.

> **채점 기준**
>
> | | | |
> |---|---|---|
> | **정답 키워드** 벼농사 \| 밀 \| 올리브 \| 오렌지 | | |
> | '덥고 강수량이 많은 여름 기후를 이용해 벼농사를 짓는다.', '넓은 들판에서 밀을 재배한다.', '지중해 주변 지역에서는 올리브나 오렌지 등을 재배한다.' 등의 내용을 정확히 씀. | | 상 |
> | 온대 기후 지역 사람들의 생활 모습을 썼으나 구체적이지 않음. | | 하 |

> **더 알아보기**
> **온대 기후 지역의 특성**
> • 여름보다 겨울 강수량이 많습니다. ㉘ 지중해 주변
> • 일 년 내내 비가 고르게 내립니다. ㉘ 서유럽, 칠레 남부
> • 여름과 겨울의 기온 차가 크고 겨울보다 여름 강수량이 많습니다. ㉘ 우리나라

17 사리는 길고 넓은 천 한 장으로 만들어졌으며, 두르는 방법에 따라 입는 방법이 다양합니다. 인도 여성들은 긴 천을 바느질하지 않고 입는데, 이러한 형태의 옷은 고대부터 입은 것으로 보이며, 이는 힌두교의 옛 전통에 따른 것이라고 합니다.

> **채점 기준**
>
> | | | |
> |---|---|---|
> | (1) | '사리'를 정확히 씀. | |
> | (2) | **정답 키워드** 힌두교 \| 바느질 \| 깨끗 '인도 사람들이 주로 믿는 힌두교에서는 바느질하지 않은 옷을 깨끗하다고 여기기 때문이다.' 등의 내용을 정확히 씀. | 상 |
> | | 인도 사람들이 사리를 입는 까닭을 썼으나 구체적이지 않음. | 하 |

18 멕시코는 과거 마야 문명의 영향으로 옥수수를 중시하는 문화가 있고, 옥수수의 생산량이 많기 때문에 옥수수를 이용한 음식이 발달했습니다.

19 멕시코와 같은 고산 기후 지역은 높은 산지에 있어 낮과 밤의 기온 차가 크기 때문에 밤에 체온을 유지하기 위해 판초를 입습니다. 판초는 긴 천에 구멍을 뚫어 만든 옷입니다.

20 삶의 터전은 사람들의 생활 모습에 영향을 미칩니다. 사람들은 자신들이 사는 지역의 환경에 알맞게 의식주를 발전시켰습니다.

❸ 우리나라와 가까운 나라들

1 ④   **2** ③   **3** ③   **4** ㉡
5 우랄   **6** ⑤

1 오늘날 우리나라와 이웃 나라는 많은 사람이 오가며 함께 발전하기 위해 협력하고 있습니다.

2 바다에 접하고 있는 중국의 동쪽은 넓은 평야와 대도시가 발달했으며, 서쪽으로 갈수록 해발 고도가 높아져 고원과 산지가 분포합니다.

> **왜 틀렸을까?**
> ①, ⑤는 일본, ②, ④는 러시아에 대한 설명입니다.

3 상하이는 중국 최대의 상공업 도시입니다.

4 일본은 화산, 온천 등이 많아 관광 산업이 발달한 나라입니다. 시베리아 횡단 철도는 러시아의 동쪽과 서쪽을 이어 주는 철도입니다.

5 우랄산맥을 기준으로 러시아의 서쪽에는 넓은 평야가 있으며, 동쪽에는 주로 고원과 산악 지대가 자리합니다.

6 러시아 문자는 그리스 문자의 영향을 받았으며 영어와 같이 대문자와 소문자가 있습니다.

1 ③   **2** 민서   **3** 미국   **4** ②
5 ②   **6** ③

1 우리나라와 이웃 나라 간에는 정치, 경제, 문화 등 다양한 분야의 교류가 일어나고 있습니다.

2 우리나라와 이웃 나라는 공동의 문제들을 해결하기 위해 교류하고 협력합니다.

3 미국은 우리나라와 다양한 물자와 서비스를 주고받고 있습니다.

4 우리나라는 2020년 기준으로 약 2억9천7백만 배럴의 원유를 수입했는데, 이는 우리나라 원유 수입량의 1/4을 넘습니다.

◀ 사우디아라비아의 원유를 생산하는 시설

5 오늘날 우리나라는 지리적으로 멀리 떨어진 나라들과 정치적, 경제적, 문화적 교류 등을 활발하게 하고 있습니다.

6 우리나라는 칠레와 자유무역협정(FTA)을 체결하고 경제 협력을 강화했습니다.

Step 1

1 네   **2** 러시아   **3** 젓가락   **4** 정치적
5 오스트레일리아   **6** ④, ⑤   **7** ③
8 ㉠   **9** ④   **10** 예 무역   **11** ⑤
12 가영   **13** ①   **14** ③

Step 2

15 (1) 예 평야 (2) 예 산지

16 예 러시아의 인구 대부분이 유럽과 가까운 서부 지역에 분포하고 있기 때문이다.

17 예 우리나라는 세계 여러 나라와 다양한 방면에서 서로 교류하고 협력하며 상호 의존 관계를 맺고 있다.

> **15** 높아
> **16** 유럽
> **17** 여러

Step 3

18 ㉢   **19** ㉡
20 예 교통과 통신이 발달했기 때문이다.

1 일본은 바다로 둘러싸인 섬나라입니다. 혼슈, 규슈, 시코쿠, 홋카이도 등 네 개의 큰 섬과 작은 섬들로 이루어져 있습니다.

2 러시아는 우랄산맥을 경계로 동쪽은 아시아, 서쪽은 유럽에 속합니다.

3 중국과 일본은 우리와 식사 도구가 유사합니다.

4 우리나라와 이웃 나라 사람들은 지리적 거리가 가까운 만큼 자주 오가며 긴밀한 관계를 맺고 있습니다.

5 우리나라는 세계 여러 나라들과 교류하고 협력하며 상호 의존 관계를 맺고 있습니다.

6 중국은 우리나라의 서쪽에 있고, 주변의 많은 나라와 국경을 접하고 있습니다.

7 베이징은 중국의 수도입니다. 모스크바는 러시아의 수도이며, 우랄산맥은 유럽과 아시아 대륙의 경계가 되는 산맥입니다. 시베리아 횡단 철도는 러시아의 동쪽 끝인 블라디보스토크에서부터 서쪽의 모스크바로 이어지는, 세계에서 가장 긴 철도입니다.

8 일본은 우리나라의 동쪽에 있고 우리나라와 동해를 사이에 두고 있는 섬나라입니다. 일찍부터 뛰어난 기술력을 바탕으로 하여 세계적인 경제 강국이 되었습니다.

9 중국과 일본은 우리나라와 식사 도구가 유사하고, 한자나 불교와 같은 문화를 공유하고 있습니다.

> **왜 틀렸을까?**
> ②, ③은 러시아, ⑤는 일본에 대한 설명입니다.

10 우리나라는 이웃 나라와 활발한 무역을 하는 등 경제적으로 교류하고 있습니다.

11 오늘날에는 교통과 통신의 발달로 이웃 나라 간의 교류가 증가하고 있습니다.

> **왜 틀렸을까?**
> ①, ②, ④는 우리나라와 이웃 나라 간의 문화적 교류, ③은 우리나라와 이웃 나라 간의 인적 교류 사례입니다.

12 미국은 풍부한 자원을 바탕으로 다양한 산업이 골고루 발달했습니다.

13 베트남은 우리나라와 인적, 문화적 교류가 활발한 나라입니다.

14 우리나라는 국경을 접하고 있는 이웃 나라들 외에도 다양한 방면에서 세계 여러 나라와 깊은 관계를 맺고 있습니다.

15 중국의 서부에는 히말라야 산맥과 시짱고원(티베트고원)이, 동부에는 둥베이평야, 화베이평야, 화중평야, 화난평야가 발달해 있습니다. 중국의 대도시들이 주로 동쪽에 분포한 까닭은 평야가 넓어 사람들의 이동이나 교류가 활발하게 일어날 수 있기 때문입니다.

[출처: 셔터스톡]

◀ 화중평야

16 러시아의 식사 도구나 문자는 유럽의 나라들과 비슷하지만 최근에는 동쪽으로 가까운 한국, 중국, 일본과의 교류도 증가했습니다.

> **채점 기준**
>
> | 정답 키워드 인구 | 유럽 | 서부 | |
> |---|---|
> | '러시아의 인구 대부분이 유럽과 가까운 서부 지역에 분포하고 있기 때문이다.' 등의 내용을 정확히 씀. | 상 |
> | 러시아의 생활 모습이 유럽과 비슷하게 나타나는 까닭을 썼으나 구체적이지 않음. | 하 |

> **더 알아보기**
> **러시아 사람들의 생활 모습**
> • 빵과 수프를 주식으로 하며, 식사 도구로는 포크나 칼 등을 사용합니다.
> • 그리스 문자의 영향을 받은 문자를 사용합니다.

17 우리나라는 정치·경제·문화 등 다양한 분야에서의 활발한 교류를 통해 세계 무대에서 우리나라의 영향력을 높이고 있습니다.

> **채점 기준**
>
> | 정답 키워드 다양한 방면 | 교류 | 상호 의존 | |
> |---|---|
> | '우리나라는 세계 여러 나라와 다양한 방면에서 서로 교류하고 협력하며 상호 의존 관계를 맺고 있다.' 등의 내용을 정확히 씀. | 상 |
> | 제시된 사례를 보고 알 수 있는 우리나라와 세계 여러 나라와의 관계를 썼으나 구체적이지 않음. | 하 |

18 우리나라와 이웃 나라 간의 인적 교류 사례에는 일자리를 구하러 이웃 나라로 이동하거나 이웃 나라 사람과 결혼하여 거주지를 옮기는 것 등이 있습니다.

19 우리나라와 이웃 나라가 경제적으로 교류하는 사례로는 무역, 원활한 에너지 공급을 위한 협력 등이 있습니다.

20 서로 이웃한 나라들이 협력하면 어려운 일이 생겼을 때 빠르게 해결할 수 있습니다.

대단원 평가

48~51 쪽

1 ⑤	**2** ④	**3** 북극해	**4** ①

5 (1) ㉠, ㉣ (2) ㉤ (3) ㉡, ㉢   **6** ②

7 예 영토가 둥근 모양인 나라들이다.   **8** 낮아

9 ⑤	**10** ③	**11** ④	**12** (1) 고산

(2) 예 서늘한 지역에서 잘 자라는 감자와 옥수수를 재배한다. 라마와 알파카 같은 가축을 길러 고기와 털을 얻는다.

13 ①	**14** ㉠, ㉡	**15** 러시아	**16** ⑤

17 ④   **18** 정치   **19** 예 우리나라가 원유를 수입하는 대표적인 나라이다. 우리나라 기업들이 진출해 건물이나 발전소를 건설하고 있다.   **20** ⑤

1 세계지도는 가지고 다니기 편리하다는 장점이 있습니다. 땅과 바다의 크기가 실제와 비슷하게 나타나 있는 공간 자료는 지구본입니다.

2 디지털 영상 지도에서 마우스 오른쪽 단추를 누르면 현재 지점의 위도와 경도를 알 수 있으며 거리 재기 기능을 이용할 수 있습니다.

3 대양은 넓은 면적을 차지하는 큰 바다를 말합니다. 북극해는 가장 작은 대양입니다.

4 남아메리카는 북아메리카 대륙의 남쪽에 위치한 대륙으로, 태평양과 대서양 사이에 위치합니다.

> **왜 틀렸을까?**
> ② 북아메리카 대륙에 대한 설명입니다.
> ③ 아시아 대륙에 대한 설명입니다.
> ④ 남극 대륙에 대한 설명입니다.
> ⑤ 아프리카 대륙에 대한 설명입니다.

5 아시아에는 중국, 일본, 몽골, 인도 등이 있고, 오세아니아에는 키리바시, 오스트레일리아 등이 있으며 유럽에는 영국, 독일, 프랑스, 에스파냐 등이 있습니다.

6 이탈리아 로마 시내에 있는 바티칸 시국의 면적은 0.44km²로 우리나라의 경복궁 정도의 면적입니다.

7 세계 여러 나라의 영토 모양은 국경선, 해안선, 영토의 길이 등에 따라 다양합니다.

채점 기준

정답 키워드 영토 | 둥글다 '영토가 둥근 모양인 나라들이다.' 등의 내용을 정확히 씀.		8점
제시된 나라들의 공통점을 영토의 모양과 관련하여 썼으나 구체적이지 않음.		4점

8 지구는 둥글기 때문에 위도에 따라 땅에 닿는 햇빛의 양이 다릅니다.

9 최근 열대 기후 지역에서는 농장을 만들어 열대작물을 대규모로 재배하기도 합니다.

10 사막 지역에 사는 사람들은 강이나 오아시스 주변에 모여 살며 농사를 짓습니다.

11 냉대 기후 지역에서는 목재 생산이 많고, 침엽수를 이용해 종이를 만드는 공업이 발달했습니다.

12 고산 기후 지역은 주변의 고도가 낮은 지역보다도 기온이 낮습니다.

채점 기준

(1)	'고산'이라고 정확히 씀.	3점
(2)	**정답 키워드** 감자 | 옥수수 | 알파카 '서늘한 지역에서 잘 자라는 감자와 옥수수를 재배한다.', '라마와 알파카 같은 가축을 길러 고기와 털을 얻는다.' 등의 내용을 정확히 씀.	7점
	고산 기후 지역의 생활 모습을 썼으나 구체적이지 않음.	3점

13 나라마다 자연환경과 인문환경이 다르기 때문에 다양한 생활 모습이 나타납니다.

14 모든 나라의 생활 모습은 고유한 가치를 지니고 있습니다.

15 우리나라는 북쪽으로 러시아와 국경을 마주하고 있습니다.

16 러시아는 석유, 천연가스 등 자원의 생산과 수출이 활발한 나라입니다.

17 각 나라의 자연환경과 문화가 서로 달라서 저마다 독특한 생활 모습이 나타납니다.

18 우리나라와 이웃 나라 간에는 다양한 분야의 교류가 일어나고 있습니다.

19 사우디아라비아는 우리나라에서 가장 많은 원유를 수입하는 나라로, 우리나라의 산업 발전과 관계가 깊은 나라입니다.

채점 기준

정답 키워드 원유 | 수입 | 기업 | 진출 '우리나라가 원유를 수입하는 대표적인 나라이다.', '우리나라 기업들이 진출해 건물이나 발전소를 건설하고 있다.' 등의 내용을 정확히 씀.		8점
우리나라와 사우디아라비아와의 관계를 썼으나 구체적이지 않음.		4점

20 세계 여러 나라와 교류할 때는 세계 여러 나라에 관심을 기울이고 그들의 문화를 이해하며, 서로 협력하는 태도를 지녀야 합니다.

2. 통일 한국의 미래와 지구촌의 평화

1 한반도의 미래와 통일

개념 다지기

개념 다지기   59쪽

1 독도   **2** ①   **3** (1) ○   **4** (1) ⓒ (2) ㉠ (3) ⓛ
5 ③   **6** ②

1 독도는 우리나라 영토의 동쪽 끝에 있는 섬으로, 동도
와 서도 두 개의 큰 섬과 89개의 작은 바위섬으로 이루
어져 있습니다. 독도는 동해상에서 선박의 항로뿐만
아니라 항공 교통과 방어 기지로서도 중요한 위치에 있
습니다.

⬆ 독도

2 독도는 울릉도의 동남쪽에 위치하며 대략 북위 37°, 동
경 132°에 있습니다.

3 독도는 여러 종류의 동식물이 서식하는 생태계의 보고
입니다. 우리나라는 독도를 천연기념물 제336호로 지
정해 보호하고 있습니다.

4 독도는 화산 활동으로 생긴 화산섬으로 독특한 지형과
모습을 지니고 있습니다.

5 『세종실록』「지리지」에는 "우산과 무릉, 두 섬은 서로
멀리 떨어져 있지 않아 날씨가 맑으면 바라볼 수 있
다."는 내용이 쓰여 있습니다.

더 알아보기

독도에 대한 옛 기록과 지도

『세종실록』「지리지」	울릉도(무릉)와 독도(우산)가 강원도에 속한 섬이라고 기록했음.
『신증동국여지승람』「팔도총도」	동해에 울릉도와 독도(우산도) 두 섬을 함께 그렸음.
「대한 제국 칙령 제41호」	독도(석도)를 울릉도(울도군) 관할로 두었음.

6 조선 시대 어부였던 안용복은 일본으로부터 '죽도 도해
금지령'을 받아냈습니다.

개념 다지기   63쪽

1 38도선   **2** 민재   **3** ②, ③   **4** ②   **5** ㉠
6 ③

1 제2차 세계 대전이 끝나면서 미·소 양국이 북위 38도
선을 경계로 한반도를 남과 북으로 나누어 점령하면서
분단이 시작되었고, 6·25 전쟁을 겪으면서 분단이 더
욱 굳어졌습니다.

2 분단이 지속되면서 이산가족은 오랜 세월 동안 만나지
못하고 있고, 언어와 생활 모습 등 남북한 문화의 차이
가 더욱 벌어지고 있습니다. 군사적으로는 남북한 모
두 막대한 국방비를 부담하고 있고, 전쟁에 대한 불안
감을 조성하여 세계 평화에 부정적 영향을 미치고 있습
니다.

3 남북통일이 이루어지면 국방비에 쓰일 돈을 다른 곳에
사용할 수 있고, 전쟁에 대한 불안감을 해소하여 세계
평화에 이바지할 수 있습니다. 또 육로를 이용해 아시
아를 넘어 유럽까지 갈 수 있게 됩니다.

4 1972년에 있었던 7·4 남북 공동 성명 발표는 남북 정
치 교류의 시작이었습니다.

더 알아보기

통일을 위한 정치적 노력

7·4 남북 공동 성명(1972년)	남북 정치 교류의 시작으로, 최초로 통일에 관하여 합의하고 발표했음.
남북 기본 합의서 채택(1991년)	남북 화해, 교류, 협력 등의 내용이 담긴 남북 기본 합의서를 채택했음.
6·15 남북 공동 선언(2000년)	남북한 정상이 만나 회담 후 남북 간 교류 활성화와 통일 방안에 관해 발표했음.

5 남한과 북한은 그동안 평화통일을 목표로 정치·경제·
문화 등 다양한 분야에서 교류와 협력을 확대하고자 노
력했습니다. 남북한이 서로에 대한 믿음을 바탕으로
지속적인 대화와 노력을 이어 간다면 남북통일을 평화
롭게 진행할 수 있을 것입니다.

왜 틀렸을까?

ⓛ은 통일을 위한 정치적 노력, ⓒ은 통일을 위한 경제적 노력에
해당됩니다.

6 개성 공업 지구는 남한의 자본과 기술력에 북한의 노동
력이 결합한 경제 협력 사례로, 2005년부터 2016년까
지 운영되었습니다.

단원 실력 쌓기

64~67쪽

Step 1

1 우리나라의 울릉도 2 화산 3 이사부
4 이산가족 5 사회·문화 6 ① 7 ③
8 은영 9 ⑤ 10 ④ 11 ③
12 ㉠, ㉢, ㉡ 13 ② 14 ⑤

Step 2

15 (1) 예 섬기린초 (2) 천연기념물
16 예 남북 간의 문화적 차이를 극복해 민족의 동질성을 회복할 수 있기 때문이다.
17 예 국토의 자원을 효율적으로 이용하여 경제가 더욱 성장하는 나라가 될 수 있다. 세계의 평화와 발전을 이끄는 나라가 될 수 있다.

> 15 (1) 괭이갈매기
> (2) 화산섬
> 16 어려워지고
> 17 지하자원

Step 3

18 독도 19 지윤
20 예 독도는 동해상에 있어서 태평양으로 이어지는 선박의 항로로서 중요하다. 독도는 항공 교통과 방어 기지로서 군사적으로 중요한 위치에 있다.

1 울릉도에서 독도까지의 거리는 87.4km이고, 일본의 오키섬에서 독도까지의 거리는 157.5km입니다.

2 화산섬인 독도는 독특한 지형과 모습을 지녔으며 생태계의 보고입니다.

3 이사부와 안용복, 독도 의용 수비대 등의 옛 사람들이 일본의 침입으로부터 독도를 지키기 위해 노력했습니다.

4 1983년 특별 방송된 〈이산가족을 찾습니다〉는 453시간 45분 동안 생방송되었고, 2015년 세계 기록 유산에 등재되기도 했습니다.

5 2018년에는 남북한 예술단이 함께 한반도의 평화를 기원하는 음악회와 공연을 했습니다.

6 독도는 우리나라의 동쪽 끝에 있습니다.

7 독도 주변 바다 밑바닥에는 메탄 하이드레이트가 묻혀 있고, 깊은 바다에는 해양 심층수가 있는 등 자원이 많아 경제적 가치가 높습니다.

8 독도는 흐린 날이 많고 겨울에 눈이 많이 내리며, 동해의 영향으로 기온이 온화합니다.

9 당시 지도에는 독도(우산도)를 울릉도의 서쪽에 그렸습니다.

10 사이버 외교 사절단 반크는 인터넷에서 우리나라와 관련된 잘못된 사실을 바로잡는 일을 하는 단체로, 대한민국의 해양 영토를 알리는 '한국 해양 지도'를 제작해 배포했습니다. ②와 ③은 우리 군과 경찰이 독도를 지키기 위해 하는 일입니다.

11 남북 분단으로 인해 언어와 생활 모습 등 남북한 문화의 차이가 더욱 벌어지고 있습니다.

12 남한과 북한은 그동안 평화 통일을 목표로 정치·경제·문화 등 다양한 분야에서 교류와 협력을 확대하고자 노력했습니다.

13 철도와 도로가 연결되면 육로로 아시아를 넘어 유럽까지 갈 수 있게 됩니다.

14 비무장 지대는 휴전선으로부터 남북으로 각각 2km씩 총 4km입니다.

15 우리나라는 독도를 아끼고 보호하기 위해 천연기념물로 지정했습니다.

16 남북 분단 지속으로 나타나는 어려움을 극복하기 위해 남북통일을 하고 서로 평화롭게 살고자 노력해야 합니다.

채점 기준

정답 키워드 문화 | 차이 | 극복 | 동질성 | 회복	
'남북 간의 문화적 차이를 극복해 민족의 동질성을 회복할 수 있다.' 등의 내용을 정확히 씀.	상
제시된 자료와 관련하여 통일이 필요한 까닭을 썼으나 구체적이지 않음.	하

17 통일이 되면 전쟁에 대한 두려움이 없어지고, 한반도의 지리적 이점을 누릴 수 있게 됩니다. 또한 국가 경쟁력 강화는 물론 국제 사회에서 우리나라의 위상을 크게 높일 수 있습니다.

채점 기준

정답 키워드 경제 | 성장 | 세계 평화 | 발전	
'국토의 자원을 효율적으로 이용하여 경제가 더욱 성장하는 나라가 될 수 있다.', '세계의 평화와 발전을 이끄는 나라가 될 수 있다.' 등의 내용을 정확히 씀.	상
통일 이후 나타날 한국의 미래상을 썼으나 구체적이지 않음.	하

18 독도는 우리나라 영토의 동쪽 끝에 있는 섬으로, 울릉도의 동남쪽에 위치합니다.

19 독도는 대략 북위 37°, 동경 132°에 있으며, 행정구역상 경상북도 울릉군 울릉읍에 속합니다.

20 독도는 우리나라, 러시아, 일본과 접하고 있는 동해상에 있기 때문에 군사적으로 중요합니다.

❷ 지구촌의 평화와 발전

개념 다지기 | 71쪽

1 팔레스타인 **2** ② **3** ②, ④ **4** 세현
5 ⓒ **6** ⑤

1 이스라엘과 팔레스타인뿐만 아니라 여러 나라가 얽혀 위험한 상황이 계속되고 있습니다.

2 카슈미르 분리 분쟁은 주민 대부분이 이슬람교를 믿는 카슈미르 지역이 힌두교를 믿는 사람이 많은 인도에 편입되면서 발생한 인도와 파키스탄의 갈등입니다.

3 시리아에서는 계속되는 내전으로 도시는 폐허가 되었고, 많은 사람이 다치거나 죽었으며 수많은 난민이 발생했습니다.

4 지구촌 갈등이 사라지지 않는 까닭은 각 나라가 자신의 이익을 가장 먼저 생각하고, 역사적으로 오랫동안 갈등이 반복되었기 때문입니다.

5 자기 나라의 이익을 추구할 때 지구촌이 공존할 수 있는 방법을 생각합니다.

6 ⑤는 어린이들이 직접 하기는 어려운 일입니다.

개념 다지기 | 75쪽

1 국제 연합(UN) **2** (1) ⓒ (2) ⓐ **3** 비정부 기구
4 ② **5** ④ **6** ⓐ

1 국제 연합(UN)은 1945년 지구촌의 평화 유지와 전쟁 방지 등을 위해 만들어진 국제기구로, 다양한 기구를 두어 지구촌 갈등 문제를 해결하려고 노력하고 있습니다.

2 다양한 국제 연합(UN)의 기구들은 지구촌 평화와 발전을 위한 노력을 인정받아 노벨 평화상을 받기도 합니다.

3 비정부 기구는 국가가 아닌 개인들의 관심과 후원, 활동으로 운영됩니다.

> **더 알아보기**
> **비정부 기구와 국제기구의 다른 점**
> • 비정부 기구는 국가가 아닌 개인들의 관심과 후원, 활동으로 운영됩니다.
> • 비정부 기구는 국가 간의 이해관계를 떠나 지구촌의 문제 해결을 위한 활동을 추진합니다.

4 비정부 기구는 지구촌의 갈등 해결과 평화 유지를 위해 다양한 활동을 합니다.

> **왜 틀렸을까?**
> ① 해비타트: 가난, 전쟁, 자연재해 등으로 터전을 잃어버린 사람들에게 집을 지어 줍니다.
> ③ 세이브 더 칠드런: 모든 어린이의 생존과 보호를 위해 교육, 의료 등의 분야에서 다양한 지원을 하고 있습니다.
> ④ 핵무기 폐기 국제 운동: 핵무기와 관련된 모든 것을 반대하는 운동을 펼치고 있습니다.

5 비정부 기구는 국가가 아닌 개인이 모여 운영됩니다.

6 이태석 신부는 2001년부터 남수단의 '톤즈'라는 마을에 병원을 짓고 직접 진료했으며, 마을 사람들과 힘을 합쳐 학교를 만드는 등 남수단 사람들을 위해 헌신했습니다.

단원 실력 쌓기 | 76~79쪽

Step ①
1 에티오피아 **2** 나라 **3** 국제 연합 난민 기구(UNHCR)
4 의료 서비스 **5** 지뢰 금지 국제 운동(ICBL) **6** ④
7 ② **8** ⑤ **9** ②, ⑤ **10** ②
11 세이브 더 칠드런 **12** ⑤ **13** ③
14 ⑤

Step ②
15 ❶ 파키스탄 ❷ 인도
16 (1) 난민
(2) ⑩ 갈등이 더 심각해지거나 더 많은 희생자가 생길 수 있다.
17 ⑩ 각 나라가 자신의 이익을 가장 먼저 생각하기 때문이다. 역사적으로 오랫동안 갈등이 반복되었기 때문이다.

> **15** 이슬람
> **16** (1) 난민
> (2) 있습니다
> **17** 여러

Step ③
18 ⓐ **19** 국제 앰네스티
20 ⑩ 한 나라 안에서 발생한 갈등 상황이 주변 지역으로 번져 지구촌 전체의 문제가 될 수도 있기 때문이다. 지구촌 갈등 문제는 어느 한 국가의 노력만으로는 해결하기 어렵기 때문이다.

1 에티오피아에서는 민족 간 종교와 언어 차이, 경제적 · 정치적 차별로 인한 내전이 발생했습니다.

2 비정부 기구는 뜻이 같은 개인들이 모여 활동하는 단체입니다.

3 국제 연합 난민 기구(UNHCR)는 난민들에게 안전한 피난처와 식수, 필수 생활용품 등을 제공하는 일을 합니다.

4 국경 없는 의사회는 종교, 민족 등과 관계없이 모든 사람들에게 의료 서비스를 지원합니다.

5 조디 윌리엄스는 123개 나라로부터 더 이상 지뢰를 사용하지 않겠다는 약속을 받아 내 1997년 노벨 평화상을 수상했습니다.

6 태평양과 대서양을 잇는 중요한 위치에 있으며, 주변에 석유가 매장되어 있다고 알려진 포클랜드 제도를 둘러싸고 영국과 아르헨티나의 분쟁이 발생했습니다.

7 시리아는 대통령의 독재 정치와 종교 문제 때문에 내전이 발생하여 10년 넘게 계속되고 있으며, 외교 문제로 인해 다른 여러 나라까지 내전에 가담하고 있어 상황이 더 나빠졌습니다.

8 지구촌 갈등 문제 해결을 위해서는 모든 지구촌 사람들의 끊임없는 관심과 노력이 필요합니다.

> **더 알아보기**
>
> **지구촌 평화와 발전을 위해 우리가 할 수 있는 일**
> • 지구촌 갈등 문제를 알리고 해결하려는 활동에 참여하기
> • 뉴스나 신문 기사에 나오는 지구촌 갈등 문제에 관심을 가지고 정보 찾아보기
> • 지구촌 갈등 문제 해결을 위한 다양한 국제기구와 비정부 기구 활동에 참여하기
> • 사람들이 지구촌 갈등 문제 해결에 관심을 갖도록 누리 소통망 서비스(SNS)에 글 올리기

9 국제 연합(UN)의 기구들은 지구촌 평화와 협력을 위해 활동합니다.

10 세계 보건 기구는 전 세계인의 건강을 위해 노력하는 국제 연합(UN)의 기구입니다.

> **왜 틀렸을까?**
>
> ① 국제 노동 기구: 전 세계의 노동 문제를 다룹니다.
> ③ 세계 식량 계획: 전 세계에서 전쟁, 내전, 자연재해 등 긴급한 상황으로 어려움에 처한 사람들에게 식량을 지원합니다.
> ④ 국제 연합 아동 기금: 전 세계 어린이들이 안전하고 깨끗한 환경에서 교육받고 건강하게 성장하도록 여러 가지 지원을 합니다.
> ⑤ 국제 연합 교육 과학 문화 기구: 교육, 과학, 문화 등의 교류와 문화 다양성을 지키려고 노력합니다.

11 세이브 더 칠드런은 종교, 국적, 인종을 초월해 모든 어린이의 생존과 보호를 위해 교육, 의료 등의 분야에서 다양한 지원을 하는 비정부 기구입니다.

12 국제 앰네스티는 주로 부당하게 인권을 탄압받는 사람들의 인권을 보호하기 위한 활동을 합니다.

> **왜 틀렸을까?**
>
> ①, ②는 그린피스, ③은 해비타트, ④는 지뢰 금지 국제 운동에서 하는 활동입니다.

13 우리나라는 국제 연합(UN)의 요청으로 오랜 전쟁으로 고통받는 레바논에 평화 유지군인 동명부대를 파견했습니다.

14 말랄라 유사프자이는 탈레반 점령 지역의 실상을 알렸다가 탈레반의 총에 맞아 크게 다쳤고, 여러 차례 수술 끝에 깨어나기도 했습니다.

15 파키스탄과 인도가 서로 카슈미르 지역이 자신의 영토라고 주장하기 때문에 분쟁이 일어났습니다.

16 다양한 지구촌 사람들의 노력을 통해 지구촌의 평화가 지속됩니다.

채점 기준		
(1)	'난민'이라고 정확히 씀.	
(2)	**정답 키워드** 갈등 | 심각 | 희생자 '갈등이 더 심각해지거나 더 많은 희생자가 생길 수 있다.' 등의 내용을 정확히 씀.	상
	사람들이 세계 곳곳에서 일어나는 갈등을 모른 체 할 때 일어날 수 있는 일을 썼으나 구체적이지 않음.	하

17 지구촌의 평화와 발전을 위해서는 각 개인이 지구촌 갈등 문제에 관심을 가지고 문제 해결에 참여해야 합니다.

채점 기준	
정답 키워드 이익 | 역사적 | 갈등 | 반복 '각 나라가 자신의 이익을 가장 먼저 생각하기 때문이다.', '역사적으로 오랫동안 갈등이 반복되었기 때문이다.' 등의 내용을 정확히 씀.	상
지구촌 갈등이 사라지지 않는 까닭을 썼으나 구체적이지 않음.	하

18 ㉠은 누리 소통망 서비스(SNS)에 글을 올리는 모습입니다.

19 국제 앰네스티는 국가 권력에 의해 억울하게 처벌당하고 억압받는 사람들을 돕기 위해 노력합니다.

20 지구촌 갈등 문제 해결에는 모든 지구촌 사람들의 끊임없는 관심과 노력이 필요합니다.

❸ 지속가능한 지구촌

개념 다지기   83쪽

1 ④, ⑤   **2** ③   **3** ⑤   **4** ㉠
5 (1) ㉠ (2) ㉢ (3) ㉡   **6** ②

1 오늘날 지구촌에는 열대 우림 파괴, 초미세 먼지 증가 외에도 지구 온난화, 과도한 쓰레기와 오염 물질 배출 등 다양한 환경문제가 발생하고 있습니다.

2 사람들이 버린 플라스틱 쓰레기가 잘 썩지 않아 땅과 강, 그리고 바다를 오염시키고 생태계를 파괴하고 있습니다.

3 지구촌 사람들은 환경문제를 해결하기 위해 환경을 생각하는 소비를 하며 일상생활에서 자원과 에너지를 절약합니다.

4 올바른 방법으로 분리배출을 하면 자원의 재활용율을 높여 자원 낭비를 막을 수 있고, 쓰레기로 버려지는 재활용품을 줄일 수 있습니다.

5 환경문제는 지구촌 전체의 문제이므로 모두가 함께 노력해야 합니다.

6 지구 대기를 오염시켜 온실 효과를 일으키는 가스를 통틀어 온실가스라고 합니다.

개념 다지기   87쪽

1 미래   **2** ④   **3** 연지   **4** ㉣
5 세계시민   **6** ①

1 지속가능한 미래란 지구촌 사람들이 현재뿐만 아니라 미래 세대의 환경과 발전을 위해 책임감 있게 행동했을 때 다가올 미래를 말합니다.

2 지구촌 사람들은 환경을 생각하면서도 사람들의 필요를 만족하도록 하는 제품을 생산하거나 소비하여 건강과 환경을 지키고자 노력하고 있습니다.

3 지구촌 사람들은 빈곤과 기아로 고통받는 사람들에게 돈과 물건, 식량 등을 지원해 주고 이들의 교육 환경을 개선하여 스스로 경제활동을 할 수 있도록 지원하고 있습니다.

4 취업, 교육, 의료, 상담 등 여러 방면에서 편견과 차별로 고통받는 사람들을 지원할 수 있습니다.

5 세계시민은 지구촌 문제가 우리의 문제임을 알고 이를 해결하고자 협력하는 자세를 지닌 사람입니다. 우리는 세계시민으로서 책임감을 갖고 지구촌 문제를 해결하고자 노력해야 합니다.

6 급식을 남김없이 다 먹어 쓰레기를 만들지 않는 것이 우리가 지구를 위해 실천할 수 있는 일에 해당합니다.

단원 실력 쌓기   88~91쪽

Step 1

1 플라스틱   **2** 절약   **3** 환경
4 지속가능한 미래   **5** 분리하여   **6** ⑤
7 ③   **8** 기업   **9** ④   **10** ③
11 ③, ④   **12** ③   **13** ㉣   **14** ⑤

Step 2

15 (1) 정부 (2) ⓔ 일회용품
16 (1) 재생 (2) ⓔ 버려진 자원을 활용해 자원 낭비를 줄일 수 있다.
17 ⓔ 자연재해와 전쟁 등으로 삶의 터전을 잃고 물과 식량이 부족해졌기 때문이다. 음식이 불평등하게 분배되었기 때문이다.

> **15** (1) 제도
> (2) 재활용품
> **16** (1) 재생
> (2) 최소한
> **17** 불평등

Step 3

18 지구 온난화   **19** 초미세 먼지
20 ⓔ 지구촌의 환경문제는 그 원인과 영향이 지역 간에 복잡하게 얽혀 있기 때문이다.

1 태평양에는 플라스틱 조각들로 이루어진 거대한 섬이 생겨나는 등 피해가 심각합니다.

2 환경을 보호하기 위해 화석 연료를 덜 사용하도록 에너지를 절약해야 합니다.

3 시민 단체는 사람들의 환경 보호 의식을 높이는 환경 운동을 하며, 기업이나 정부의 활동이 환경에 나쁜 영향을 끼치지 않는지 감시하기도 합니다. 시민 단체들은 일회용품 사용을 줄이자는 캠페인, 자동차 기업에 오염 물질을 내뿜는 내연 기관의 사용을 줄이자는 시위 등을 합니다.

4 오늘날 지구촌 사람들에게는 지속가능한 미래를 위해 세계시민으로서의 자세가 필요해졌습니다.

5 쓰레기를 올바르게 분리하여 배출하면 쓰레기 양을 줄일 수 있습니다.

6 사람들이 버린 플라스틱 쓰레기가 잘 썩지 않아 환경을 오염시키고 있는 가운데 최근에는 배송·배달과 관련된 쓰레기 배출 급증으로 쓰레기 대란이 가까워 오고 있습니다.

7 환경문제를 해결하기 위해서 올바른 방법으로 분리배출을 하고 친환경 제품이나 에너지 고효율 제품을 사는 등의 노력을 해야 합니다.

> **더 알아보기**
>
> **올바른 분리배출의 핵심 네 가지**

8 기업은 친환경 기술을 개발하고, 제품의 생산·이동·폐기 과정에서 불필요한 자원과 에너지가 낭비되지 않도록 노력합니다.

9 정부는 환경 관련 법과 제도를 만들어 개인과 기업이 이를 실천하도록 합니다.

10 세계 자연 기금(WWF)은 환경오염으로 인한 기후 변화 문제의 심각성을 알리고 이에 대응하고자 매년 지구촌 전등 끄기 운동을 개최합니다.

11 제로 웨이스트 숍에서 물건을 사면 버려지는 포장 용기를 줄일 수 있고, 화학 물질이 없는 친환경 제품을 사면 수질 오염과 토양 오염 등을 막을 수 있습니다.

12 지구촌 사람들은 빈곤과 기아로 고통받는 사람들에게 돈과 물건, 식량 등을 지원합니다. 또한 이들의 교육 환경을 개선하고 스스로 경제활동을 할 수 있도록 지원하고 있습니다.

13 전기를 아끼기 위한 여름철 적정 실내 온도는 25℃~26℃입니다. 가까운 데서 생산된 과일이 이산화 탄소를 덜 배출합니다. 채식 식단을 추가하면 다양한 문화적 배경을 가진 친구들을 배려하고 사료 작물 재배를 위해 파괴되는 열대 우림을 지킬 수 있습니다.

14 싸게 판매하는 제품보다는 환경을 생각해서 만든 제품을 구입해야 합니다.

15 지구촌 환경문제 해결을 위해 정부와 기업, 개인, 시민 단체 등이 모두 노력하고 있습니다.

16 지구촌에는 지속가능한 미래를 위한 친환경적 생산과 소비가 늘고 있습니다.

채점 기준		
(1)	'재생'이라고 정확히 씀.	
(2)	**정답 키워드** 자원 낭비 | 줄이다 '버려진 자원을 활용해 자원 낭비를 줄일 수 있다.' 등의 내용을 정확히 씀.	상
	재생용지를 이용할 때의 좋은 점을 썼으나 구체적이지 않음.	하

17 빈곤과 기아 문제는 열악한 환경, 자연재해, 식량 문제의 불균형 등 다양한 원인으로 발생합니다.

채점 기준	
정답 키워드 자연재해 | 전쟁 '자연재해와 전쟁 등으로 삶의 터전을 잃고 물과 식량이 부족해졌기 때문이다.' 등의 내용을 정확히 씀.	상
지구촌에 기아 문제가 발생하는 원인을 썼으나 구체적이지 않음.	하

18 지구 온난화는 지구의 평균 기온이 상승하는 현상입니다. 지구 온난화는 자동차 등에서 이산화 탄소와 같은 온실가스가 지나치게 배출되어 발생합니다. 지구 온난화로 빙하가 녹아 해수면이 높아졌고, 일부 해안 지역은 바닷물이 들이닥쳐 사람들이 살 땅을 잃고 있습니다.

19 초미세 먼지는 사람 몸속에 들어가 호흡기 질환과 같은 여러 질병을 일으킬 수 있습니다.

20 지구촌 곳곳에서는 지구 온난화, 열대 우림 파괴, 과도한 쓰레기와 오염 물질 배출, 초미세 먼지 증가 등 다양한 환경문제가 나타나고 있습니다.

대단원 평가
92~95쪽

1 ⑤ **2** ① **3** ③ **4** 예 옛날 우리 조상들은 독도를 우리 땅이라고 생각했으나, 일본 사람들은 독도를 자신들의 영토라고 생각하지 않았다. **5** 예 전쟁 **6** 예 분단에 의한 국방비와 경제적 비용을 줄일 수 있고, 북한의 풍부한 자원, 남한의 앞선 기술과 자본을 결합해 경제 성장을 이룰 수 있다. **7** ① **8** ④ **9** ❶ 이익 ❷ 어렵기 **10** ④ **11** 예 전 세계 모든 어린이들이 안전하고 깨끗한 환경에서 교육받고 건강하게 성장하도록 지원한다. **12** (1) ㉠ (2) ㉠ (3) ㉢ **13** 조디 윌리엄스 **14** ② **15** ④ **16** ① **17** 그린피스 **18** 소윤 **19** 소희 **20** ⑤

1 독도는 동도와 서도 두 개의 큰 섬과 작은 섬들로 이루어져 있습니다.

2 독도는 화산 활동으로 생긴 화산섬으로 독특한 지형과 모습을 지녔습니다.

3 「대한 제국 칙령 제41호」에서는 독도(석도)를 울릉도(울도군) 관할로 두었습니다.

4 『신증동국여지승람』「팔도총도」에서는 동해에 울릉도와 독도(우산도) 두 섬을 함께 그렸습니다. 반면 「대일본전도」는 주변 섬들을 포함해 일본 영토를 자세히 그렸지만 독도는 나타나 있지 않습니다.

채점 기준	
정답 키워드 조상 | 독도 | 우리 땅 | 일본 | 자신 | 영토 '옛날 우리 조상들은 독도를 우리 땅이라고 생각했으나, 일본 사람들은 독도를 자신들의 영토라고 생각하지 않았다.' 등의 내용을 정확히 씀.	10점
두 지도를 통해 알 수 있는 점을 썼으나 구체적이지 않음.	5점

5 분단 후 남한과 북한은 이산가족 문제, 문화의 차이 발생, 경제적 손실, 전쟁에 대한 불안감 등 여러 가지 어려움을 겪고 있습니다.

6 국방비가 줄어들면 남은 비용을 국민의 삶의 질을 높이는 데 사용할 수 있습니다.

채점 기준	
정답 키워드 국방비 | 결합 | 경제 성장 '분단에 의한 국방비와 경제적 비용을 줄일 수 있고, 북한의 풍부한 자원, 남한의 앞선 기술과 자본을 결합해 경제 성장을 이룰 수 있다.' 등의 내용을 정확히 씀.	8점
남북통일이 되면 얻을 수 있는 경제적 이득을 썼으나 구체적이지 않음.	4점

7 ②는 통일을 위한 정치적 노력, ③, ④는 통일을 위한 경제적 노력입니다.

8 지구촌에서는 여러 갈등이 끊이지 않고 나타나고 있습니다.

9 갈등에 얽힌 강대국들이 과거의 잘못을 책임지지 않고, 오히려 어려운 나라를 이용해서 이익만 얻으려고 하기 때문에 갈등이 사라지지 않습니다.

10 ④는 비정부 기구에 대한 설명입니다.

11 국제 연합 아동 기금은 국제 연합 산하의 국제기구이고, 세이브 더 칠드런은 비정부 기구입니다. 지구촌의 다양한 주체들은 지구촌 갈등 문제를 해결하기 위해 노력하고 있습니다.

채점 기준	
정답 키워드 어린이 | 안전 | 깨끗한 환경 | 교육 '전 세계 모든 어린이들이 안전하고 깨끗한 환경에서 교육받고 건강하게 성장하도록 지원한다.' 등의 내용을 정확히 씀.	10점
국제 연합 아동 기금과 세이브 더 칠드런의 공통점을 썼으나 구체적이지 않음.	5점

12 비정부 기구는 평화 유지, 환경 보전, 빈곤 퇴치, 성 평등 등을 위해 여러 가지 활동을 하고 있습니다.

13 조디 윌리엄스는 미국의 사회 운동가입니다.

14 지역 개발로 넓은 면적의 열대 우림이 없어지고 있습니다.

15 초미세 먼지는 사람 몸속에 들어가 호흡기 질환과 같은 여러 질병을 일으킵니다.

16 ①은 환경문제 해결을 위한 정부의 노력입니다.

17 그린피스는 세계에서 가장 유명한 환경 보호 단체로, 전 세계적인 환경 파괴의 경각심을 알렸습니다.

왜 틀렸을까?
세계 식량 계획은 전 세계에서 전쟁, 내전, 자연재해 등 긴급한 상황으로 어려움에 처한 사람들에게 식량을 지원하는 기구입니다.

18 전 세계에는 충분한 식량이 있지만, 불평등하게 분배되고 있습니다. 굶주림으로 민족이나 나라 간 분쟁이 발생하기도 하므로 빈곤과 기아 문제는 지구촌의 평화를 위협할 수 있습니다.

19 지구촌의 다양한 문화를 배우며 서로의 문화를 존중할 수 있습니다.

20 지구촌 문제가 우리의 문제임을 알고 이를 해결하고자 협력하는 자세를 지닌 사람을 세계시민이라고 합니다.

1. 세계의 여러 나라들

① 지구, 대륙, 그리고 국가들

개념 확인하기 `4쪽`

1 ㉠	2 ㉠	3 ㉠	4 ㉡	5 ㉠

1 우리는 여러 가지 공간 자료를 통해 세계 여러 나라의 위치, 영토 모양, 환경 등을 알 수 있습니다.

2 세계지도는 둥근 지구를 일정한 비율로 줄여 평면에 나타낸 것입니다.

3 지구본과 세계지도에는 나라 이름과 바다 이름이 쓰여 있고 경선, 위선, 적도 등이 그어져 있습니다.

4 디지털 영상 지도를 확대하거나 축소하면서 세계 여러 나라를 살펴보고, 지구본이나 세계지도에서 찾기 어려운 다양한 정보도 편리하게 찾을 수 있습니다.

5 디지털 영상 지도에서는 검색창에 출발지와 도착지를 입력하고, 이용하려는 교통수단을 선택해 경로를 검색할 수 있습니다.

개념 확인하기 `5쪽`

1 ㉢	2 ㉠	3 ㉠	4 ㉢	5 ㉡

1 태평양은 아시아, 오세아니아, 북아메리카, 남아메리카 사이에 있는 가장 큰 바다로 우리나라와 접해 있습니다.

2 인도양은 북반구와 남반구에 걸쳐 있습니다.

3 아프리카에는 알제리, 리비아, 이집트, 탄자니아 등의 나라가 있습니다.

4 북아메리카는 북반구에 속하며, 북쪽의 그린란드까지 포함합니다.

5 우리나라는 가장 큰 대륙인 아시아에 속해 있으며, 아시아는 세계 육지 면적의 약 30%를 차지합니다.

실력 평가 `6~7쪽`

1 ④	2 ②	3 ⑤	4 (2) ○
5 ③	6 (1) ㉠ (2) ㉡		7 ⑤
8 오세아니아		9 ②	10 ①

1 지구본, 세계지도와 같은 공간 자료를 이용해 세계의 모습을 볼 수 있습니다.

2 적도는 위선의 기준이 되는 위도 0°선을 말합니다.

3 디지털 영상 지도에서는 지도에 나오는 지역의 자연환경과 대표 장소를 탐색할 수 있습니다.

> **더 알아보기**
>
> **디지털 영상 지도의 기능**
> - 마우스 오른쪽 단추를 누르면 거리 재기 기능을 이용할 수 있습니다.
> - 일반 지도, 위성 지도, 지형도 등 지도의 종류를 선택할 수 있습니다.
> - 세계를 한눈에 볼 수도 있고, 한 장소를 확대해서 자세히 볼 수도 있습니다.

4 지구본을 컴퓨터나 스마트폰에서 활용하도록 위성 사진이나 항공 사진 등을 이용해 만든 공간 자료를 디지털 지구본이라고 합니다.

5 세계 여러 나라의 소개 자료를 만들 때는 가장 먼저 세계 여러 나라와 관련해 어떤 내용을 조사할지 의논하고 주제를 정합니다.

6 지구는 육지(대륙)와 바다(대양)로 이루어져 있습니다. 지구에서 육지의 면적은 약 30%이고, 바다의 면적은 약 70%입니다.

7 대서양은 세계에서 두 번째로 큰 바다입니다.

> **왜 틀렸을까?**
>
> ①은 태평양, ②, ④는 북극해, ③은 남극해에 대한 설명입니다.

8 오세아니아 대륙의 대부분은 오스트레일리아가 차지하며, 오세아니아의 많은 섬나라는 태평양에 분포합니다. 유럽에는 스웨덴, 영국, 에스파냐, 이탈리아, 체코 등의 나라가 속해 있으며 남아메리카에는 브라질, 에콰도르, 칠레 등의 나라가 있습니다.

9 고비 사막은 아시아에서 가장 넓은 사막이며, 아프리카 대륙에는 세계에서 가장 넓은 사막인 사하라 사막이 있습니다.

10 타이의 영토 모양은 코끼리와 닮았습니다.

서술형·논술형 평가   8~9 쪽

1 (1) 세계지도
(2) ⑩ 위치를 쉽게 나타내기 위해서이다.

2 (1) ㉢ (2) ㉠
(3) ⑩ 세계지도나 지구본에서 찾기 어려운 다양한 정보를 얻을 수 있다. 스마트폰이나 컴퓨터가 필요하며, 인터넷을 연결해야 다양한 기능을 사용할 수 있다.

3 (1) 대서양, 인도양, 태평양, 남극해, 북극해
(2) ㉠ 아시아 ㉡ 오세아니아
(3) ⑩ 가장 큰 대양이다. 아시아, 오세아니아, 아메리카 대륙의 사이에 있다.

4 (1) ㉠ (2) 지윤
(3) ⑩ 세계 여러 나라의 영토 모양은 국경선, 해안선, 영토의 길이 등에 따라 다양하다.

1 (1) 세계지도는 세계 여러 나라의 위치와 영역을 한눈에 살펴볼 수 있어 세계 여러 나라의 전반적인 특징을 이해하는 데 효과적입니다.
(2) 가로로 그은 선은 지구상의 위도를 나타내는 위선이고, 세로선은 지구상의 경도를 나타내는 경선입니다. 세계지도에는 위선과 경선이 있어 나라의 위치를 비교적 정확하게 확인할 수 있습니다. 세계지도에서 위치를 표현하려는 곳에 가까운 위선과 경선을 찾아 표시된 숫자를 확인하면 위도와 경도를 확인할 수 있습니다.

채점 기준

(1)	'세계지도'를 정확히 씀.	2점
(2)	**정답 키워드** 위치 l 나타내다 '위치를 쉽게 나타내기 위해서이다.' 등의 내용을 정확히 씀.	6점
	세계지도에 위선과 경선이 있는 까닭을 썼으나 구체적이지 않음.	3점

2 (1) 디지털 영상 지도에서 위치 검색 단추를 누르면 현재 나의 위치를 지도에서 확인할 수 있습니다.
(2) 출발지와 도착지를 입력하고, 이용하려는 교통수단을 선택해 경로를 검색할 수 있습니다.
(3) 디지털 영상 지도는 위성 사진이나 항공 사진 등을 이용해 만든 디지털 공간 자료로, 컴퓨터나 스마트폰에서 이용할 수 있습니다. 디지털 영상 지도는 최신 정보가 빠르게 반영되어 정확도가 높으며, 세계를 한눈에 볼 수 있고, 한 장소를 확대해서 자세히 볼 수도 있습니다.

채점 기준

(1)	'㉢'이라고 정확히 씀.	2점
(2)	'㉠'이라고 정확히 씀.	2점
(3)	**정답 키워드** 다양한 l 스마트폰 l 컴퓨터 l 인터넷 '세계지도나 지구본에서 찾기 어려운 다양한 정보를 얻을 수 있다.', '스마트폰이나 컴퓨터가 필요하며, 인터넷을 연결해야 다양한 기능을 사용할 수 있다.' 등의 내용을 정확히 씀.	6점
	디지털 영상 지도가 세계지도, 지구본과 비교했을 때 다른 점을 썼으나 구체적이지 않음.	3점

3 (1) 지구의 표면을 덮고 있는 바다를 대양이라고 하며, 바다로 둘러싸인 큰 땅덩어리를 대륙이라고 합니다.
(2) 아시아의 서쪽에는 유럽 대륙, 남쪽에는 오세아니아 대륙이 있으며, 오세아니아 대륙은 대부분 남반구에 있습니다.
(3) 태평양은 북반구와 남반구에 걸쳐 있으며, 우리나라와 접해 있습니다.

채점 기준

(1)	'대서양, 인도양, 태평양, 남극해, 북극해'를 정확히 씀.	2점
(2)	㉠ '아시아', ㉡ '오세아니아'를 정확히 씀.	2점
(3)	**정답 키워드** 가장 큰 l 아시아 l 오세아니아 l 아메리카 '가장 큰 대양이다.', '아시아, 오세아니아, 아메리카 대륙의 사이에 있다.' 등의 내용을 정확히 씀.	6점
	태평양의 특징을 썼으나 구체적이지 않음.	3점

4 (1) 해안선이 복잡한 나라로는 노르웨이, 인도네시아, 일본, 필리핀 등이 있습니다.
(2) 국경선이 단조로운 나라로는 미국, 캐나다, 사우디아라비아 등이 있으며 영토가 남북으로 뻗은 나라로는 칠레 등이 있습니다.
(3) 해안선, 국경선, 영토의 길이 등에 따라 나라별 영토의 모양이 달라집니다.

채점 기준

(1)	'㉠'이라고 정확히 씀.	2점
(2)	'지윤'이라고 정확히 씀.	2점
(3)	**정답 키워드** 국경선 l 해안선 l 영토의 길이 l 다양 '세계 여러 나라의 영토 모양은 국경선, 해안선, 영토의 길이 등에 따라 다양하다.' 등의 내용을 정확히 씀.	6점
	제시된 자료를 참고하여 세계의 영토 모양에 대해 알 수 있는 사실을 썼으나 구체적이지 않음.	3점

❷ 세계의 다양한 삶의 모습

개념 확인하기　　10쪽

| 1 ㉡ | 2 ㉠ | 3 ㉠ | 4 ㉠ | 5 ㉡ |

1 열대 기후 지역은 일 년 내내 기온이 높고 연 강수량이 많습니다.

2 건조 기후 지역은 비가 적게 내려 일 년 동안의 강수량이 500mm보다 적습니다.

3 지중해 주변에서는 여름 강수량이 적은 지역에서도 잘 견디는 올리브, 오렌지, 레몬 등의 작물을 재배합니다.

4 동부 아시아는 여름철에 기온이 높고 강수량이 많기 때문에 벼농사를 짓습니다.

5 냉대 기후 지역은 침엽수를 베어 펄프를 만들고, 펄프를 이용해 종이를 만드는 산업이 발달했습니다.

개념 확인하기　　11쪽

| 1 ㉢ | 2 ㉡ | 3 ㉠ | 4 ㉠ | 5 ㉡ |

1 인도의 사리는 길고 넓은 한 장의 천으로 되어 있으며, 입는 방법이 다양합니다. 인도에서는 바느질하지 않은 옷을 깨끗한 옷이라고 여기기 때문에 전통 의복을 한 장의 긴 천으로 만듭니다.

2 고산 기후는 고도가 높은 지역에서 주로 나타납니다.

3 타코는 얇게 구운 옥수수 빵에 채소와 고기를 넣어 먹는 음식입니다. 멕시코는 과거 마야 문명의 영향으로 옥수수를 중시하는 문화가 있고 옥수수 생산량도 많습니다.

왜 틀렸을까?
㉡ 인도네시아에서 발달한 음식입니다.

4 게르는 몽골의 초원 지역에서 유목 생활을 하는 사람들이 사는 이동식 가옥입니다.

5 사람들이 살아가는 삶의 터전은 그 지역에 사는 사람들의 생활 모습에 영향을 줍니다. 자연환경과 인문환경의 차이에 따라 그 지역만의 독특한 문화가 형성되기도 합니다.

실력 평가　　12~13쪽

1 ①, ⑤	2 (1) ○	3 ⑤	4 ④
5 ⑤	6 ㉠ 인도 ㉡ 멕시코		7 ②
8 ⑤	9 ⑤	10 (1) ㉢ (2) ㉡ (3) ㉠	

1 세계의 기후는 기온이나 강수량의 특징에 따라 열대 기후, 건조 기후, 온대 기후, 냉대 기후, 한대 기후, 고산 기후로 나눌 수 있습니다.

2 일 년 내내 햇빛을 집중적으로 받는 적도 부근은 기온이 높고, 햇빛을 분산하여 받는 극지방은 기온이 낮습니다.

왜 틀렸을까?
⑵는 ㈐ 지역과 관련 있는 모습입니다.

3 높은 해발 고도는 고산 기후와 관련이 있습니다.

4 서유럽의 일부 지역에서는 온화한 기후를 이용해 화훼 농업이 이루어지기도 합니다.

왜 틀렸을까?
①은 열대 기후 지역, ②는 건조 기후 지역, ③은 한대 기후 지역과 관련 있는 모습입니다.

5 한대 기후 지역은 기온이 계속 영하인 곳도 있고, 짧은 여름 동안에만 기온이 올라가면서 이끼가 자라는 곳도 있습니다.

6 사리는 인도의 전통 복장이고, 타코는 멕시코에서 주로 먹는 음식입니다.

7 사리는 옷감을 자르거나 바느질하는 것을 바람직하지 않게 여기는 힌두교의 영향을 받았습니다.

8 낮과 밤의 일교차가 큰 고산 기후 지역에서는 밤에 체온을 유지하기 위해 판초를 입습니다.

9 세계 여러 나라에 나타나는 다양한 생활 모습은 각각 고유한 가치를 지니고 있습니다.

10 세계의 유명한 축제들도 자연환경, 인문환경과 관련이 있습니다.

더 알아보기
세계의 유명한 축제
• 프랑스 망통 레몬 축제: 망통에서 매년 2월에 수확한 레몬과 오렌지로 다양한 조형물을 만들어 즐기는 축제입니다.
• 러시아 백야 축제: 상트페테르부르크에서 5월부터 7월까지 열리는 축제입니다.
• 타이 송끄란: 가장 더운 시기에 서로에게 물을 뿌리며 농사를 위한 비가 많이 오기를 기원하는 축제입니다.

서술형·논술형 평가   14~15쪽

> **1** (1) ㉠ 많고 ㉡ 적기
> (2) ⑩ 세계의 기후는 적도에서 극지방으로 가면서 열대 기후, 건조 기후, 온대 기후, 냉대 기후, 한대 기후 등이 분포해 있다.
> **2** (1) 냉대 기후 (2) ㉡
> (3) ⑩ 목재와 펄프의 세계적인 생산지이다.
> **3** (1) 영국 (2) 여름
> (3) ⑩ 서로 다른 생활 모습을 이해하고 존중하는 마음가짐이 필요하다.
> **4** (1) (내)
> (2) ⑩ 그 나라의 자연환경과 인문환경의 영향을 받는다.

1 (1) 위도는 세계의 기후 분포에 큰 영향을 미치며, 이 외에도 나라의 위치나 지형에 따라 서로 다른 기후가 나타나기도 합니다. 세계는 적도 지방에서 극지방으로 갈수록 기온이 낮아지는데 이는 기후 형성에 큰 영향을 미칩니다.

(2) 세계의 기후는 기온이나 강수량의 특징에 따라 나눕니다.

채점 기준

(1)	㉠ '많고', ㉡ '적기'에 ○표를 함.	2점
(2)	**정답 키워드** 열대 | 건조 | 온대 | 냉대 | 한대 '세계의 기후는 적도에서 극지방으로 가면서 열대 기후, 건조 기후, 온대 기후, 냉대 기후, 한대 기후 등이 분포해 있다.' 등의 내용을 정확히 씀.	6점
	제시된 자료를 보고 세계의 기후 분포에 대해 썼으나 구체적이지 않음.	3점

2 (1) 냉대 기후는 온대 기후와 마찬가지로 사계절이 뚜렷하지만 온대 기후에 비해 겨울이 깁니다. 냉대 기후 지역은 가장 따뜻한 달의 평균 기온이 영하 10℃ 이상이고, 가장 추운 달의 평균 기온이 영하 3℃ 미만으로 따뜻한 달과 추운 달의 기온 차이가 큽니다.

(2) 냉대 기후 지역에서는 주변에서 쉽게 구할 수 있는 목재를 이용해 통나무집을 만듭니다. 추운 겨울을 대비해 창을 작게 만들고 벽을 두껍게 만듭니다.

(3) 냉대 기후 지역에서는 기후의 영향으로 뾰족한 잎을 가진 침엽수림이 널리 분포해 목재와 펄프가 많이 생산됩니다. 생산된 목재와 펄프를 이용해 공업이 이루어집니다. 냉대 기후 지역에 분포하는 침엽수림은 '타이가'라고 불리며, 타이가는 전 세계 삼림의 상당 부분을 차지하는 거대한 숲입니다.

채점 기준

(1)	'냉대 기후'라고 정확히 씀.	2점
(2)	'㉡'이라고 정확히 씀.	2점
(3)	**정답 키워드** 목재 | 펄프 '목재와 펄프의 세계적인 생산지이다.' 등의 내용을 정확히 씀.	6점
	제시된 사진과 관련하여 냉대 기후가 인간 생활에 미친 영향을 썼으나 구체적이지 않음.	3점

3 (1) 영국의 자동차 운전석이 오른쪽에 있는 까닭은, 옛날 영국 사람들이 마차를 타고 다닐 때 마부가 오른손으로 휘두르는 채찍에 옆 사람이 다치지 않도록 오른쪽에 앉았던 풍습이 이어져 온 것입니다.

(2) 세계 여러 나라 사람들의 생활 모습은 자연환경이나 인문환경에 따라 다양하게 나타납니다. 사람들이 믿는 종교에 따라 먹을 수 없는 음식도 있습니다.

(3) 세계 여러 나라 사람들의 생활 모습은 하나의 잣대로 평가할 수 없는 고유한 가치를 가지고 있으며, 그 지역에 사는 사람들이 환경에 적합하게 발전시킨 결과이기 때문에 존중해야 합니다.

채점 기준

(1)	'영국'이라고 정확히 씀.	2점
(2)	'여름'이라고 정확히 씀.	2점
(3)	**정답 키워드** 이해 | 존중 '서로 다른 생활 모습을 이해하고 존중하는 마음가짐이 필요하다.' 등의 내용을 정확히 씀.	6점
	다른 나라의 생활 모습을 대할 때 가져야 할 바람직한 태도에 대해 썼으나 구체적이지 않음.	3점

4 (1) 세계 여러 나라 사람들의 다양한 생활 모습을 조사함으로써 이러한 생활 모습에 영향을 준 요인을 알 수 있고, 우리와 다른 생활 모습에 대해 더 깊이 이해할 수 있습니다.

(2) 세계 여러 지역의 생활 모습을 이해하기 위해서는 그 지역의 자연환경과 인문환경에 대해 알 필요가 있습니다.

채점 기준

(1)	'(내)'를 정확히 씀.	2점
(2)	**정답 키워드** 나라 | 환경 | 영향 '그 나라의 자연환경과 인문환경의 영향을 받는다.' 등의 내용을 정확히 씀.	6점
	제시된 자료의 밑줄 친 부분에 들어갈 말을 썼으나 구체적이지 않음.	3점

❸ 우리나라와 가까운 나라들

1 ㉡	2 ㉡	3 ㉠	4 ㉠	5 ㉠

1 우리나라는 중국, 일본, 러시아와 국경을 마주하고 있습니다.

2 우리나라와 이웃 나라들과 오래전부터 교류하며 서로 영향을 주고받았고, 우리나라와 이웃 나라 사람들의 생활 모습에는 비슷한 점과 다른 점이 모두 있습니다.

3 우리나라는 국물이 있는 음식이 많아서 국물이 스며들지 않는 금속 젓가락과 숟가락을 주로 사용합니다.

> **왜 틀렸을까?**
> ㉡ 일본의 식사 도구에 대한 설명입니다.

4 러시아는 포크, 칼, 숟가락을 사용해서 음식을 먹습니다.

5 러시아의 문자나 식사 도구는 유럽과 비슷합니다.

1 ㉠	2 ㉠	3 ㉡	4 ㉡	5 ㉠

1 우리나라와 이웃 나라 사람들은 지리적 거리가 가까운 만큼 자주 오가며 긴밀한 관계를 맺고 있습니다.

2 우리나라와 이웃 나라의 인적 교류 사례에는 우리나라 사람이 일자리를 구하러 이웃 나라로 이동하는 것, 우리나라 사람이 이웃 나라 사람과 결혼하여 거주지를 옮기는 것 등이 있습니다.

3 우리나라와 이웃 나라 대표들이 모여 다양한 문제를 논의하기도 합니다.

4 우리나라와 이웃 나라는 서로의 문화를 경험하고 즐기면서 서로에 대한 이해를 높이고, 사람들이 다양한 문화를 경험할 수 있도록 하기 위해 문화적 교류를 합니다.

5 우리나라와 이웃 나라는 경제, 문화, 정치 등 다양한 분야에서 활발히 교류하고 있습니다.

1 ⑤	2 ㉠	3 공업 지역	4 ②, ⑤
5 ㉡	6 ⑤	7 ⑤	8 ㉡
9 ③, ④	10 ❶ 달라 ❷ 편리		

1 우리나라는 북쪽의 러시아, 서쪽의 중국, 동쪽의 일본과 이웃하고 있습니다.

2 러시아는 위도가 높은 곳에 있어서 남부 지역 일부를 제외하고는 냉대 기후가 나타나 겨울이 길고 매우 춥습니다.

3 일본의 주요 공업 지역은 태평양 연안을 따라 발달했습니다.

4 일본의 게이힌 공업 지역은 도쿄, 요코하마, 가와사키를 중심으로 발달한 일본 최대의 공업 지역으로 철강, 석유 화학, 자동차, 전자, 정밀 기계 산업과 첨단 산업이 발달했습니다.

5 우리나라, 중국, 일본의 문자는 한자의 영향을 받은 한자 문화권에 속합니다. 일본은 중국의 한자를 변형하거나 간단하게 만든 '가나'를 사용하며, 우리나라에서도 한글과 함께 한자가 표기된 안내판, 간판, 책 등을 볼 수 있습니다.

6 주로 먹는 음식, 식사 예절 등이 달라 우리나라, 중국, 일본의 젓가락의 특징에 조금씩 차이가 나타납니다.

> **왜 틀렸을까?**
> ①은 러시아, ②, ④는 중국, ③은 우리나라의 식사 도구에 대한 설명입니다.

7 우리나라와 이웃 나라는 상호 의존적인 관계입니다.

8 우리나라는 공동의 문제를 해결하기 위해 이웃 나라와 협력하며 교류할 필요가 있습니다.

9 미국은 우리나라와 다양한 물자와 서비스를 주고받고 있습니다.

> **더 알아보기**
> **미국의 자연환경과 인문환경**
> • 영토 면적이 우리나라의 약 44배인 나라로, 한 나라 안에서 다양한 지형과 기후가 나타납니다.
> • 풍부한 자원을 바탕으로 농업, 상업, 공업 등 다양한 산업이 발달했습니다.

10 오늘날 교통과 정보 통신이 발달하면서 많은 사람들이 세계 여러 나라를 오가며 다양한 활동을 할 수 있게 되었습니다.

서술형·논술형 평가 **20~21**쪽

1 (1) 중국 (2) ㉠, ㉢
(3) 예 세계에서 인구가 가장 많고 여러 가지 산업이 발달했다.
2 (1) ㉠ (2) 현준
(3) 예 풍부한 천연자원을 바탕으로 한 산업이 발달했다.
3 (1) 정치적 교류 (2) ㉡
(3) 예 이웃 나라와 서로 이해하고 협력하는 태도가 필요하다.
4 (1) ㉡
(2) 예 섬유 산업 등 경공업이 발달했다.

1 (1) 중국은 세계에서 네 번째로 영토가 넓은 나라입니다.
(2) 중국은 영토가 넓어 지역에 따라 지형과 기후가 다릅니다. 바다에 접하고 있는 동쪽은 넓은 평야와 대도시가 발달했으며, 서쪽으로 갈수록 해발 고도가 높아져 고원과 산지가 분포합니다.

> **왜 틀렸을까?**
> ㉢은 러시아에 대한 설명입니다.

(3) 중국은 자원이 풍부하고 여러 가지 산업이 발달해 세계의 많은 나라와 교류합니다. 평야와 항구가 발달한 동부 지역에 도시와 산업이 발달했으며, 50개가 넘는 소수 민족이 거주하여 다양한 문화가 공존합니다.

채점 기준		
(1)	'중국'이라고 정확히 씀.	2점
(2)	'㉠'과 '㉢'을 정확히 씀.	2점
(3)	**정답 키워드** 인구 | 산업 '세계에서 인구가 가장 많고 여러 가지 산업이 발달했다.' 등의 내용을 정확히 씀.	6점
	중국의 인문환경의 특징을 썼으나 구체적이지 않음.	3점

2 (1) 우리나라의 북쪽에 있는 러시아는 세계에서 가장 넓은 나라입니다. ㉡ 중국, ㉢은 일본입니다.
(2) 러시아는 위도가 높은 곳에 있어서 남부 지역 일부를 제외하고는 냉대 기후가 나타나 겨울이 매우 길고 춥습니다.
(3) 러시아는 천연자원이 풍부하게 매장되어 있어 우리나라와의 협력과 교류가 기대되는 나라입니다. 우랄산맥은 아주 오래전에 형성된 산지로 석탄 매장량이 많으며, 자원의 상당량이 시베리아에 매장되어 있어 현재 시베리아 개발이 이루어지고 있습니다.

채점 기준		
(1)	'㉠'이라고 정확히 씀.	2점
(2)	'현준'이라고 정확히 씀.	2점
(3)	**정답 키워드** 풍부하다 | 천연자원 '풍부한 천연자원을 바탕으로 한 산업이 발달했다.' 등의 내용을 정확히 씀.	6점
	러시아에서 발달한 산업의 특징을 썼으나 구체적이지 않음.	3점

3 (1) 우리나라와 이웃 나라가 함께 해결해야 할 문제에는 환경오염 물질이 이동하면서 주변 나라에 영향을 주는 문제, 역사적으로 해결되지 않은 문제, 경제 갈등 문제, 영토 분쟁 문제 등이 있습니다.
(2) 한 나라만의 노력으로 해결할 수 없는 문제도 있기 때문에 이웃 나라 간에 함께 문제를 해결해야 합니다. 각 나라가 대기 오염 물질을 줄이는 노력을 함으로써 서로에게 주는 영향을 줄일 수 있습니다.
(3) 우리나라와 이웃 나라는 공동의 문제들을 해결하기 위해 교류하며 협력합니다.

채점 기준		
(1)	'정치적 교류'라고 정확히 씀.	2점
(2)	'㉡'이라고 정확히 씀.	2점
(3)	**정답 키워드** 이해 | 협력 '이웃 나라와 서로 이해하고 협력하는 태도가 필요하다.' 등의 내용을 정확히 씀.	6점
	이웃 나라와 공동의 문제를 함께 해결하려 할 때 가져야 하는 태도를 썼으나 구체적이지 않음.	3점

4 (1) 베트남은 동남아시아에 있는 나라로 영토가 남북으로 길게 뻗어 있고, 영토 면적은 우리나라의 약 1.5배입니다. 기후는 대체로 덥고 습한 편이며, 인구는 우리나라의 두 배 정도입니다. 베트남은 연중 강수량이 많고 더우며, 넓은 평야가 펼쳐져 있어서 벼농사하기 유리합니다.
(2) 베트남은 우리나라가 수출을 많이 하는 나라 중 하나이며, 우리나라와 인적자원을 많이 교류하고 있습니다.

채점 기준		
(1)	'㉡'이라고 정확히 씀.	2점
(2)	**정답 키워드** 섬유 산업 | 경공업 '섬유 산업 등 경공업이 발달했다.' 등의 내용을 정확히 씀.	6점
	베트남의 산업에 대해 썼으나 구체적이지 않음.	3점

온라인 학습 단원평가의 **정답**과 함께 **문항 분석**도 확인하세요.

문항 번호	정답	평가 내용	난이도
1	④	지구본에 대해 알기	쉬움
2	④	디지털 영상 지도의 특징 알기	보통
3	③	남극해의 위치 알기	보통
4	④	대륙과 대양 알기	보통
5	⑤	북아메리카에 속해 있는 나라 알기	쉬움
6	⑤	바티칸 시국에 대해 알기	보통
7	③	세계의 기후 알기	어려움
8	④	열대 기후의 분포 지역 알기	보통
9	③	온대 기후 지역의 특징 알기	어려움
10	①	냉대 기후 지역의 자연환경 알기	보통
11	③	인도의 전통 복장에 대해 알기	쉬움
12	①	다양한 생활 모습을 대할 때의 올바른 태도 알기	보통
13	②	세계 여러 나라의 생활 모습을 조사하는 과정 알기	쉬움
14	⑤	중국의 자연환경과 인문환경 알기	보통
15	⑤	러시아의 자연환경과 인문환경 알기	어려움
16	③	우리나라와 이웃 나라의 생활 모습이 비슷한 까닭 알기	쉬움
17	④	중국의 식사 도구의 특징 알기	보통
18	②	우리나라와 이웃 나라의 교류 사례 알기	어려움
19	③	사우디아라비아의 특징 알기	쉬움
20	⑤	우리나라와 세계 여러 나라의 교류 알기	보통

1 지구본은 지구의 실제 모습과 비슷합니다.

2 디지털 영상 지도에서는 세계지도나 지구본에서 찾기 어려운 다양한 정보를 얻을 수 있습니다.

3 남극해는 남반구에 위치합니다.

4 세계의 여러 대륙 중에서 가장 큰 대륙은 아시아이며, 아프리카는 아시아 다음으로 큰 대륙입니다.

5 칠레와 브라질은 남아메리카, 영국과 스웨덴은 유럽 대륙에 속해 있는 나라입니다.

6 바티칸 시국은 세계에서 가장 작은 나라로, 이탈리아 로마 시내에 있습니다.

7 세계의 주요 기후는 기온이나 강수량의 특징에 따라 나 뉩니다.

8 열대 기후는 적도를 중심으로 한 저위도 지역에 널리 나타납니다.

9 온대 기후 지역은 온화한 기후 때문에 일찍부터 사람들 이 모여 살았습니다.

10 냉대 기후 지역은 기후의 영향으로 뾰족한 잎을 가진 침엽수가 숲을 이룹니다.

11 인도 여성들의 전통 복장인 사리는 길고 넓은 한 장의 천으로 만듭니다.

12 세계 여러 나라 사람들의 생활 모습은 환경에 적합하게 적응하고 발전시킨 결과입니다.

13 세계 여러 나라의 생활 모습을 조사할 때 다양한 자료 를 조사하면 우리와 다른 생활 모습에 대해 더 깊이 이 해할 수 있습니다.

14 중국은 우리나라의 서쪽에 위치하고, 주변에 여러 나 라와 국경을 마주하고 있습니다.

15 러시아는 자원의 생산과 수출이 활발하고, 풍부한 자 원을 바탕으로 한 산업이 발달했습니다.

16 우리나라와 일본, 중국은 이웃 나라지만 서로 다른 고 유한 문화도 있습니다.

17 중국은 둥글고 큰 식탁 한가운데에 음식을 두고 먹기 때문에 긴 젓가락을 사용하며, 뜨겁고 기름진 음식이 미끄러지지 않도록 젓가락 끝이 뭉툭합니다.

18 우리나라는 이웃 나라와 활발한 무역을 하고 있습니다.

19 사우디아라비아는 아시아의 서쪽에 위치하고, 사막 지 대가 널리 나타납니다.

20 나라마다 환경이 달라 서로 필요한 도움을 주고받을 수 있기 때문에 우리나라는 지리적으로 멀리 떨어진 다른 나라와도 활발하게 교류를 하고 있습니다.

온라인 학습 단원평가의 **정답**과 함께 **문항 분석**도 확인하세요.

단원평가 2회   26~29쪽

문항 번호	정답	평가 내용	난이도
1	⑤	디지털 영상 지도의 기능 알기	보통
2	③	대륙과 대양의 의미 알기	쉬움
3	③	대양의 특징 알기	보통
4	②	유럽 대륙에 속한 나라 알기	쉬움
5	③	아프리카 대륙에 속한 나라 알기	보통
6	①	공간 자료를 활용해 세계 여러 나라를 조사하는 과정 알기	보통
7	⑤	세계 기후의 특징 알기	어려움
8	①	남극 대륙에서 나타나는 기후 알기	쉬움
9	④	열대 기후 지역의 생활 모습 알기	어려움
10	④	건조 기후 지역의 생활 모습 알기	보통
11	④	멕시코 사람들의 의생활 알기	쉬움
12	③	게르의 특징 알기	보통
13	⑤	세계 여러 나라 사람들의 생활 모습에 영향을 미치는 요소 알기	쉬움
14	①	일본의 자연환경과 인문환경 알기	보통
15	⑤	러시아의 특징 알기	보통
16	②	일본의 식사 도구 알기	보통
17	④	우리나라와 이웃 나라의 교류 모습 알기	어려움
18	④	미국의 자연환경과 인문환경 알기	보통
19	②	우리나라와 사우디아라비아의 관계 알기	쉬움
20	⑤	우리나라와 세계 여러 나라의 교류의 특징 알기	어려움

1 디지털 영상 지도는 컴퓨터나 스마트폰 등 다양한 기기에서 이용할 수 있습니다.

2 지구는 대양과 대륙으로 이루어져 있습니다.

3 우리나라와 인접해 있는 대양은 태평양입니다.

4 칠레는 남아메리카 대륙에 속한 나라입니다.

5 아프리카는 두 번째로 면적이 넓은 대륙으로 케냐, 이집트, 탄자니아 등의 나라가 속해 있습니다.

6 세계지도, 지구본, 디지털 영상 지도를 활용해 세계 여러 나라와 관련된 내용을 조사해 소개할 수 있습니다.

7 적도에서 극지방으로 가면서 열대 기후, 건조 기후, 온대 기후, 냉대 기후, 한대 기후가 나타납니다.

8 한대 기후는 고위도 지역에 주로 나타납니다. 한대 기후 지역은 기온이 매우 낮아 땅이 눈과 얼음으로 뒤덮여 있고, 땅속은 단단하게 얼어 있습니다.

9 열대 기후 지역은 연중 비가 많이 내리기도 하고, 건기와 우기가 나타나는 곳도 있습니다.

10 사막 지역에 사는 사람들은 강이나 오아시스 주변에서 밀 농사를 지어 얇은 빵을 만들어 먹습니다.

11 고산 기후 지역에서는 체온 유지를 위해 판초를 입습니다.

12 게르는 나무로 된 뼈대에 큰 천이나 가죽을 덮어 만든 집으로 유목 생활을 하는 사람들이 간단히 설치하고 해체하기 편리합니다.

13 세계 각 지역의 지형, 기후 등 자연환경과 풍습, 종교 등 인문환경은 그곳에 사는 사람들의 생활 모습에 영향을 미칩니다.

14 바다로 둘러싸인 섬나라인 일본은 국토에 산지가 많고 화산과 지진 활동이 활발합니다.

15 러시아의 동부에서는 주로 고원과 산악 지대가 나타나며, 서부는 평원이 넓게 자리합니다.

16 일본은 생선 가시를 바르기 편하도록 끝이 뾰족한 젓가락을 사용합니다.

17 우리나라는 이웃 나라와 교류하며 여러 문제를 해결하기 위해 함께 노력하기도 합니다.

18 베트남은 우리나라와 활발하게 교류하는 대표적인 동남아시아의 국가입니다.

19 사우디아라비아에는 우리나라에서 거의 생산되지 않는 원유가 풍부하게 매장되어 있습니다.

20 우리나라는 정치, 경제, 문화 등 다양한 분야에서의 활발한 교류를 통해 세계 무대에서 우리나라의 영향력을 높이고 있습니다.

2. 통일 한국의 미래와 지구촌의 평화

❶ 한반도의 미래와 통일

| 1 ㉢ | 2 ㉡ | 3 ㉡ | 4 ㉡ | 5 ㉡ |

1 독도는 울릉도의 동남쪽에 위치합니다.

2 독도는 항공 교통과 방어 기지로서 군사적으로 중요한 위치에 있습니다.

3 독도에는 탕건봉, 코끼리 바위, 천장굴, 삼형제굴 바위 등 화산 활동으로 생긴 독특한 지형이 많습니다.

4 안용복은 조선 시대에 독도 주변에서 어업을 하는 일본 어부들을 쫓아내고 일본으로부터 독도가 우리나라 영토임을 확인받은 인물입니다.

5 우리나라는 독도를 천연기념물 제336호로 지정해 보호하고 있습니다.

| 1 ㉠ | 2 ㉡ | 3 ㉡ | 4 ㉡ | 5 ㉠ |

1 분단 때문에 가족이 서로 만날 수 없어서 슬픔을 겪고 있는 사람들이 많습니다.

2 남북한이 통일을 하면 분단국가라는 불안감을 해소하여 세계 평화에도 이바지할 수 있습니다.

3 통일을 하면 남한의 앞선 기술력과 자본, 북한의 풍부한 자원과 노동력을 합쳐 경쟁력 있는 제품을 만들 수 있을 것입니다.

4 금강산 관광은 1998년부터 2008년까지 10여 년 동안 운영되었습니다.

5 1972년에는 남북 정치 교류가 시작되었고, 최초로 통일에 관해 합의한 7·4 남북 공동 성명을 발표했습니다.

| 1 ④ | 2 ㉡ | 3 ⑤ | 4 ③ | 5 ④ |
| 6 ① | 7 ⑤ | 8 ② | 9 ④ | 10 ㉡ |

1 두 개의 큰 섬과 바위섬들로 이루어져 있는 독도는 우리나라의 동쪽 끝에 있으며, 대략 북위 37°, 동경 132°에 있습니다.

2 독도 주변 바다는 차가운 바닷물과 따뜻한 바닷물이 만나 먹이가 풍부해 여러 해양 생물이 살기 좋은 환경을 갖추고 있습니다. 독도 주변 바다에서는 부채뿔산호, 도화새우, 살오징어 등의 해양 생물을 볼 수 있습니다.

3 독도는 동해의 영향으로 기온이 온화하며, 안개가 자주 끼고 흐린 날이 많습니다.

4 1531년에 그려진 『신증동국여지승람』「팔도총도」는 우리나라의 옛 지도 중 독도(우산도)가 표기된 가장 오래된 지도입니다. 당시 사람들도 동해에 울릉도와 독도가 존재한다는 것을 알고 있었고, 독도를 우리나라의 땅으로 여기고 있었습니다.

5 우리나라는 독도를 지키기 위해 경찰, 군, 민간단체와 개인, 정부가 한마음으로 노력하고 있습니다. 우리도 또한 고유의 영토인 독도에 관심을 기울이고 지키기 위해 노력해야 합니다.

6 이산가족이 헤어진 가족을 만나고 고향에 가려면 통일이 필요합니다.

7 통일이 되면 육로를 이용해 열차나 자동차로 유럽까지 갈 수 있게 됩니다.

8 남북한은 평화 통일을 목표로 다양한 분야에서 교류하고 협력하고자 노력하고 있습니다. 남북한이 서로에 대한 믿음을 바탕으로 지속적인 대화와 노력을 이어 간다면 남북통일을 평화롭게 진행할 수 있을 것입니다.

> **더 알아보기**
> ①은 1998년, ②는 1985년, ③은 2005년, ④는 2018년, ⑤는 2002년에 있었던 일입니다.

9 7·4 남북 공동 성명은 남북이 통일을 위해 기울인 최초의 정치적 노력입니다.

10 비무장 지대는 남북한의 군사적 충돌을 막기 위해 군사 시설을 배치하지 않은 지역으로, 휴전선으로부터 남북으로 각각 2km씩 총 4km입니다.

서술형·논술형 평가 34~35쪽

1 (1) ㉠ 울릉도 ㉡ 독도

(2) (나)

(3) 예 옛날부터 우리 조상들은 독도를 우리 땅이라고 생각하고 있었다.

2 (1) ㉠

(2) 의경

(3) 예 독도 홍보 포스터를 그린다. 독도의 소중함을 알리는 캐릭터를 만든다.

3 (1) ㉠ 북한 ㉡ 남한

(2) 진영

(3) 예 민족의 동질성을 회복할 수 있다. 이산가족의 아픔을 치유할 수 있다.

4 (1) 통일 지도 그리기

(2) (가)

(3) 예 통일이 되면 주변 나라 사람들이 전쟁의 두려움 없이 평화롭게 살 수 있게 되기 때문이다.

1 (1) 독도는 행정구역상 경상북도 울릉군 울릉읍에 속하며, 맑은 날에는 울릉도에서 독도를 맨눈으로 볼 수 있습니다.

(2) 「대일본전도」를 만들 때, 일본 사람들은 독도를 일본 영토라고 생각하고 있지 않았기 때문에 독도를 그려 넣지 않았습니다.

(3) 우리나라와 일본 등의 옛 기록과 지도에는 독도가 우리나라 영토라는 사실이 나타나 있습니다.

채점 기준

(1)	㉠에 '울릉도' ㉡에 '독도'를 정확히 씀.	2점
(2)	'(나)'에 ○표를 함.	2점
(3)	**정답 키워드** 조상 | 우리 땅 '옛날부터 우리 조상들은 독도를 우리 땅이라고 생각하고 있었다.' 등의 내용을 정확히 씀.	6점
	제시된 자료를 통해 알 수 있는 독도에 대한 사실을 썼으나 구체적이지 않음.	3점

2 (1) 정부에서는 독도에 거주하는 주민들이 편리한 생활을 하도록 돕기 위해 여러 가지 시설물을 설치해 운영하고 있습니다.

(2) 사이버 외교 사절단 반크는 인터넷에서 우리나라와 관련된 잘못된 사실을 바로잡는 일을 하는 단체입니다.

(3) 소중한 영토이자 국민의 중요한 삶의 터전인 독도에 관심을 갖고 독도를 지키기 위해 노력해야 합니다.

채점 기준

(1)	'㉠'이라고 정확히 씀.	2점
(2)	'의경'이라고 정확히 씀.	2점
(3)	**정답 키워드** 포스터 | 캐릭터 '독도 홍보 포스터를 그린다.', '독도의 소중함을 알리는 캐릭터를 만든다.' 등의 내용을 정확히 씀.	6점
	독도가 우리 영토임을 알리기 위해 우리가 할 수 있는 일을 썼으나 구체적이지 않음.	3점

3 (1) 통일을 이루면 국방비를 줄여 국민의 삶과 질을 높이는 곳에 사용할 수 있고, 남한의 기술과 북한의 지하자원 및 노동력을 결합해 경제적으로도 크게 발전할 수 있습니다.

(2) 남한과 북한 사람들은 분단으로 여러 가지 어려움을 겪고 있습니다.

(3) 남북이 통일한다면 분단에 따른 국방비 및 경제적 비용을 줄일 수 있고, 남북 간의 문화적 차이를 극복해 민족의 동질성을 회복할 수 있습니다.

채점 기준

(1)	㉠에 '북한', ㉡에 '남한'을 정확히 씀.	2점
(2)	'진영'이라고 정확히 씀.	2점
(3)	**정답 키워드** 동질성 | 회복 | 이산가족 | 치유 '민족의 동질성을 회복할 수 있다.', '이산가족의 아픔을 치유할 수 있다.' 등의 내용을 정확히 씀.	6점
	남북통일이 된다면 좋은 점을 썼으나 구체적이지 않음.	3점

4 (1) 통일 한국의 모습을 통일 지도로 표현해 볼 수 있습니다.

(2) 통일이 되면 육로를 이용해 유럽을 여행할 수 있습니다.

(3) 통일이 되면 우리나라가 세계의 평화와 발전을 이끄는 나라가 될 수 있습니다.

채점 기준

(1)	'통일 지도 그리기'에 ○표를 함.	2점
(2)	'(가)'라고 정확히 씀.	2점
(3)	**정답 키워드** 주변 나라 | 전쟁 | 두려움 | 평화 '통일이 되면 주변 나라 사람들이 전쟁의 두려움 없이 평화롭게 살 수 있게 되기 때문이다.' 등의 내용을 정확히 씀.	6점
	통일이 되었을 때 우리나라가 세계 평화에 기여할 수 있는 까닭을 썼으나 구체적이지 않음.	3점

❷ 지구촌의 평화와 발전

1 ㉢   **2** ㉠   **3** ㉡   **4** ㉡   **5** ㉠

1 팔레스타인 지역을 두고 이스라엘 사람들과 팔레스타인 사람들 사이에 갈등이 나타나고 있습니다.

2 포클랜드 제도는 태평양과 대서양을 잇는 중요한 위치에 있으며 주변에 석유가 매장되어 있다고 알려져 있습니다.

3 파키스탄과 인도가 서로 카슈미르 지역이 자신의 영토라고 주장하기 때문에 카슈미르 분리 분쟁이 나타나고 있습니다.

4 지구촌에서는 자원, 영토, 민족, 인종, 종교, 언어, 역사 등 다양한 원인으로 갈등이 일어납니다.

5 각 나라가 자신의 이익을 가장 먼저 생각하기 때문에 지구촌 갈등이 사라지지 않고 계속되고 있습니다.

1 ㉠   **2** ㉠   **3** ㉡   **4** ㉠   **5** ㉡

1 전 세계에 영향을 미치는 지구촌의 갈등은 한 나라나 개인의 힘만으로 해결하기 어렵기 때문에 여러 나라가 모여 국제기구와 같은 조직을 만들었습니다.

2 세계 여러 나라가 국제 연합(UN)에 가입하여 지구촌의 갈등을 함께 해결하려고 노력하고 있습니다.

3 지구촌 평화와 발전을 위해 노력하는 비정부 기구에는 국경없는 의사회, 세이브 더 칠드런, 국제 앰네스티, 해비타트 등이 있습니다.

4 세계의 여러 국가는 지구촌 갈등 문제를 해결하여 사람들의 생명과 인권을 보호하기 위해 다양한 노력을 하고 있습니다.

5 이태석은 빈곤과 기아로 고통받는 남수단 사람들을 위해 병원을 지어 환자들을 진료했고, 학교를 만들어 학생들을 교육하며 지구촌의 평화와 발전을 위해 노력했습니다.

1 ③   **2** ⑤   **3** ③   **4** ㉢   **5** ①
6 ③   **7** ①   **8** ①   **9** ⑤   **10** ④

1 카슈미르 분리 분쟁은 인도와 파키스탄 간의 갈등입니다.

2 에티오피아는 80여 개의 민족으로 이루어져 끊임없는 갈등이 발생하고 있습니다.

3 포클랜드 제도의 소유권을 둘러싼 영국과 아르헨티나의 잠재된 갈등이 있습니다.

4 지구촌 갈등 문제는 어느 한 국가의 노력만으로는 해결하기 어렵고, 한 나라 안에서 발생한 갈등 상황이 주변 지역까지 번질 수 있기 때문에 지구촌 모두의 노력이 필요합니다.

5 국제 연합(UN)은 1945년 지구촌의 평화 유지와 전쟁 방지를 위해 만들어졌습니다.

6 국제 연합(UN)은 분야별로 다양한 전문 기구들이 설립되어 있습니다.

> **왜 틀렸을까?**
> ① 전 세계의 노동 문제를 다룹니다.
> ② 전 세계의 유행성 질병 및 전염병을 예방하고 퇴치하기 위한 대책을 연구하고 후원합니다.
> ④ 전 세계 어린이들이 안전하고 깨끗한 환경에서 교육받고 건강하게 성장하도록 지원합니다.
> ⑤ 교육, 과학, 문화 등의 교류와 문화 다양성을 지키려고 노력합니다.

7 비정부 기구는 국제 연합(UN)의 기구가 아니라 개인들이 모여 활동하는 단체입니다.

8 핵무기 폐기 국제 운동은 많은 사람에게 핵무기의 위험성을 알리고 핵무기와 관련된 모든 것을 반대하는 운동을 펼치고 있습니다.

> **왜 틀렸을까?**
> ②는 세이브 더 칠드런, ③은 국제 연합 난민 기구(UNHCR), ④는 국경 없는 의사회, ⑤는 국제 연합 아동 기금(UNICEF)에 대한 설명입니다.

9 한국 국제 협력단은 전쟁으로 피해를 받은 이라크 북부 지역의 여성들을 돕기 위해 지원 센터를 설립하고 치료, 심리 상담, 법률 지원, 사회 적응 등의 서비스를 종합적으로 제공했습니다.

10 조디 윌리엄스는 1997년 노벨 평화상을 수상했으며, 인권 보호를 위한 활동도 하고 있습니다.

서술형·논술형 평가 40~41 쪽

1 (1) 내전 (2) ㉡, ㉢
 (3) ㉠ 계속되는 전쟁으로 도시는 폐허가 되었고, 많은 사람이 다치거나 죽었으며 수많은 난민이 발생했다.
2 (1) 메콩강 (2) 진수
 (3) ㉠ 나라들이 서로 밀접하게 연결되어 있기 때문이다.
3 (1) 국제 연합(UN)
 (2) 국제 연합 아동 기금(UNICEF)
 (3) ㉠ 난민들에게 안전한 피난처와 식수, 필수 생활용품 등을 제공한다. 난민들의 정착을 돕는다.
4 (1) 그린피스
 (2) ㈎
 (3) ㉠ 뜻이 같은 개인들이 모여 지구촌의 여러 문제를 해결하고자 활동하는 조직이다.

1 (1) 시리아 내전은 대통령의 독재 정치와 종교 문제 때문에 발생하여 10년 넘게 계속되고 있습니다.
 (3) 외교 문제로 인해 다른 여러 나라까지 시리아 내전에 가담하고 있어 상황이 더 나빠졌습니다.

채점 기준

(1)	'내전'이라고 정확히 씀.	2점
(2)	'㉡'과 '㉢'을 정확히 씀.	2점
(3)	**정답 키워드** 전쟁 | 난민 '계속되는 전쟁으로 도시는 폐허가 되었고, 많은 사람이 다치거나 죽었으며 수많은 난민이 발생했다.' 등의 내용을 정확히 씀.	6점
	시리아 내전의 결과를 썼으나 구체적이지 않음.	3점

2 (1) 메콩강을 둘러싼 갈등으로 많은 나라들이 피해를 보고 있습니다.
 (2) 자기 나라의 이익만 생각하여 갈등이 발생합니다.
 (3) 만약 지구촌 사람들이 세계 곳곳에서 일어나는 갈등을 모른 체한다면, 갈등이 더 심각해지거나 더 많은 희생자가 생길 수 있습니다.

채점 기준

(1)	'메콩강'이라고 정확히 씀.	2점
(2)	'진수'라고 정확히 씀.	2점
(3)	**정답 키워드** 나라 | 밀접 | 연결 '나라들이 서로 밀접하게 연결되어 있기 때문이다.' 등의 내용을 정확히 씀.	6점
	지구촌의 갈등이 전 세계에 영향을 미치는 까닭을 썼으나 구체적이지 않음.	3점

3 (1) 국제기구는 여러 국가가 모여서 지구촌 문제를 함께 해결하고자 만든 조직으로, 대표적인 국제기구에는 국제 연합(UN)이 있습니다. 국제 연합(UN)은 지구촌의 평화 유지, 전쟁 방지, 국제 협력 활동 등을 하며, 분야별로 다양한 전문 기구들이 설립되어 있습니다. 국제 연합(UN)에 가입한 세계 여러 나라들이 협력하여 지구촌의 갈등을 함께 해결하기 위한 노력을 하고 있습니다.
 (2) 국제 연합 아동 기금(UNICEF)은 전 세계 어린이들의 권리 향상을 위해 노력합니다.
 (3) 국제 연합 난민 기구(UNHCR)는 전쟁 등으로 살 곳을 잃은 난민들의 안정적인 정착을 돕는 기구입니다.

채점 기준

(1)	'국제 연합(UN)'이라고 정확히 씀.	2점
(2)	'국제 연합 아동 기금(UNICEF)'라고 정확히 씀.	2점
(3)	**정답 키워드** 난민 | 제공 | 정착 '난민들에게 안전한 피난처와 식수, 필수 생활용품 등을 제공한다.', '난민들의 정착을 돕는다.' 등의 내용을 정확히 씀.	6점
	국제 연합 난민 기구(UNHCR)에서 하는 일에 대해 썼으나 구체적이지 않음.	3점

4 (1) 그린피스는 지구의 환경과 평화를 위해 다양한 방법으로 핵실험 반대, 자연 보호 운동을 하고 있습니다.
 (2) 국경 없는 의사회는 전쟁, 재해, 전염병 등으로 고통받는 사람들에게 종교, 민족 등과 관계없이 의료 서비스를 제공하는 일을 합니다.
 (3) 비정부 기구는 인권, 환경, 보건, 빈곤 퇴치, 성 평등 등 국경을 초월한 문제 해결을 위해 노력하는 단체로, 지구촌의 평화와 발전을 위해 다양한 활동을 합니다. 국가 간의 이해관계를 떠나 지구촌의 문제 해결을 위한 활동을 추진하며, 국가가 아닌 개인들의 관심과 후원, 활동으로 운영됩니다.

채점 기준

(1)	'그린피스'라고 정확히 씀.	2점
(2)	'㈎'라고 정확히 씀.	2점
(3)	**정답 키워드** 개인 | 문제 | 해결 '뜻이 같은 개인들이 모여 지구촌의 여러 문제를 해결하고자 활동하는 조직이다.' 등의 내용을 정확히 씀.	6점
	제시된 자료를 참고하여 비정부 기구의 의미를 썼으나 구체적이지 않음.	3점

③ 지속가능한 지구촌

개념 확인하기
42쪽

1 ㉠	2 ㉠	3 ㉠	4 ㉡	5 ㉡

1 지구 온난화는 이산화 탄소와 같은 온실가스가 지나치게 배출되었기 때문에 나타납니다.

2 열대 우림은 여러 동식물이 사는 보금자리이자 지구에 산소를 공급하는 중요한 곳이지만 오늘날 지역 개발로 넓은 면적의 열대 우림이 없어지고 있습니다.

3 지구촌 구성원 개개인은 환경문제의 해결을 위해 일상 생활에서 자원과 에너지를 절약하고, 환경을 생각하는 소비를 할 수 있습니다.

> **왜 틀렸을까?**
> ㉡ 지구촌 환경문제 해결을 위해 정부가 할 수 있는 노력입니다.

4 기업은 환경문제 해결을 위해 비닐 포장이 없는 제품을 만드는 등 친환경 제품을 생산합니다.

5 정부는 환경 관련 법과 제도를 만들어서 개인과 기업이 이를 실천하도록 합니다.

개념 확인하기
43쪽

1 ㉠	2 ㉡	3 ㉡	4 ㉠	5 ㉠

1 국제 연합(UN)이 제시한 지속가능 발전 목표에는 빈곤 퇴치, 기아 종식, 건강과 웰빙, 양질의 교육 등이 있습니다.

2 함께 노력할 때 모두가 행복한 지구촌을 만들 수 있습니다.

3 지구촌 사람들은 지속가능한 미래를 위해 현재뿐만 아니라 미래 세대의 환경과 발전을 고려하여 책임감 있게 행동해야 합니다.

4 가까운 데서 생산된 과일을 사면 환경에 미치는 영향을 최소화할 수 있습니다.

5 우리는 세계시민이므로, 책임감을 가지고 지구촌 문제를 해결하는 데 동참해야 합니다.

실력 평가
44~45쪽

1 ②	2 ④	3 ⑤	4 ㉡	5 ③
6 ⑤	7 ②	8 ㉡	9 ②	10 ③

1 최근 사람들이 온라인 쇼핑을 즐기면서 배송·배달과 관련된 쓰레기 배출이 급증하고 있습니다.

2 개인은 일회용품 사용을 줄이고 친환경 제품이나 에너지 고효율 제품을 구입하여 환경문제 해결에 도움이 될 수 있습니다.

3 기업은 재사용할 수 있는 보랭 가방에 담아 배송하는 등의 노력으로 환경문제 해결에 기여합니다.

4 정부는 지구촌 환경문제의 해결을 위해 가전제품의 에너지 소비 효율 등급 기준을 높입니다.

5 세계 각 나라는 환경문제를 해결하고자 서로 협력하여 대응책을 세우고 실천합니다.

6 국제 연합(UN)은 2015년에 모든 지구촌 사람들이 실천해야 할 지속가능 발전 목표 17개를 발표했습니다.

> **더 알아보기**
>
> **지속가능 발전 목표**
> 빈곤 퇴치, 기아 종식, 건강과 웰빙, 양질의 교육, 성 평등, 깨끗한 물과 위생, 모두를 위한 깨끗한 에너지, 양질의 일자리와 경제성장, 산업·혁신 사회 기반 시설, 불평등 감소, 지속가능한 도시와 공동체, 지속가능한 생산과 소비, 기후 변화와 대응, 해양 생태계 보존, 육상 생태계 보존, 정의·평화·효과적인 제도, 지구촌 협력 등이 있습니다.

7 일반 종이 대신 재생 용지를 이용하면 나무도 덜 베고, 생산할 때 드는 에너지와 물도 훨씬 적습니다.

8 지구촌에는 서로 다른 문화에 대한 편견과 차별로 힘들어하는 사람들이 많습니다.

9 지속가능한 미래를 위해 우리는 세계시민의 자세를 가지고 생활 속에서 할 수 있는 일을 실천해야 합니다.

> **왜 틀렸을까?**
> ① 잘 안 입는 옷은 재활용할 수 있는 곳에 기부합니다.
> ③ 이산화 탄소 배출량을 줄이기 위해 가까운 곳에서 생산된 과일을 구입합니다.
> ④ 급식 메뉴에 채식 식단을 추가해 달라고 건의해서 다양한 문화적 배경을 지닌 친구들을 배려합니다.
> ⑤ 여름철에는 실내 온도를 25℃~26℃로 맞춥니다.

10 지구촌 사람들이 환경 보호, 인권, 평화 등의 가치를 추구하며 함께 노력할 때 모두가 행복한 지구촌을 만들 수 있습니다.

서술형·논술형 평가

46~47쪽

1 (1) 환경문제 (2) 예 개발

(3) 예 지속가능한 미래를 위해 우리는 환경을 지키고 보존해야 할 책임이 있기 때문이다.

2 (1) ⓒ (2) ⓒ

(3) 예 일회용품 사용을 줄인다. 친환경 제품을 사용하는 등 환경을 생각하는 소비를 한다.

3 (1) ⓒ (2) 예 문화

(3) 예 서로 다른 문화를 이해하고 존중하기 위한 행사와 교육 활동을 한다.

4 (1) ⓒ

(2) 예 일회용 비닐봉지 말고 장바구니에 넣어 주세요.

(3) 예 책임감을 갖고 지구촌 문제를 해결하고자 노력해야 한다.

---

1 (1) 오늘날의 문제들이 오늘날 사람들의 안정적인 생활을 어렵게 할 뿐만 아니라, 미래의 사람들이 발전할 수 있는 권리까지 빼앗고 있습니다.

(2) 환경문제는 사람들이 필요 이상으로 자원과 에너지를 사용하기 때문에 나타납니다.

(3) 지구촌의 환경문제는 지구촌 전체의 문제입니다.

채점 기준

(1)	'환경문제'라고 정확히 씀.	2점
(2)	'개발' 등을 정확히 씀.	2점
(3)	**정답 키워드** 미래 ǀ 환경 '지속가능한 미래를 위해 우리는 환경을 지키고 보존해야 할 책임이 있기 때문이다.' 등의 내용을 정확히 씀.	6점
	지구촌 문제에 모두가 관심을 갖고 함께 해결해야 하는 까닭을 썼으나 구체적이지 않음.	3점

2 (1) 일회용 비닐봉지 같은 플라스틱 쓰레기는 잘 썩지 않습니다.

(3) 지구촌 환경문제 해결을 위해 우리는 일상생활에서 자원과 에너지를 절약하는 등의 노력을 할 수 있습니다.

채점 기준

(1)	'ⓒ'에 ○표를 함.	2점
(2)	'ⓒ'이라고 정확히 씀.	2점
(3)	**정답 키워드** 일회용품 ǀ 친환경 제품 '일회용품 사용을 줄인다.', '친환경 제품을 사용하는 등 환경을 생각하는 소비를 한다.' 등의 내용을 정확히 씀.	6점
	지구촌의 환경문제 해결을 위해 우리가 할 수 있는 노력을 썼으나 구체적이지 않음.	3점

3 (1) 지속가능한 미래를 위해 우리는 문화적 편견과 차별을 없애기 위한 노력을 해야 합니다.

(2) 편견은 공정하지 못하고 한쪽으로 치우친 생각을 말하며, 차별은 대상을 정당한 이유 없이 구별하고 다르게 대우하는 것을 말합니다.

(3) 지구촌 다문화 체험 행사나 다문화 인구를 위한 지원 등을 통해 문제를 해결할 수 있습니다.

채점 기준

(1)	'ⓒ'이라고 정확히 씀.	2점
(2)	'문화' 등을 정확히 씀.	2점
(3)	**정답 키워드** 이해 ǀ 존중 ǀ 행사 ǀ 교육 활동 '서로 다른 문화를 이해하고 존중하기 위한 다양한 행사와 교육 활동을 한다.', '편견과 차별로 고통받는 사람들에게 취업, 교육, 의료 등 다양한 도움을 준다.' 등의 내용을 정확히 씀.	6점
	차별과 편견 문제 해결을 위해 할 수 있는 노력을 썼으나 구체적이지 않음.	3점

4 (1) 세계시민이란 지구촌 문제가 우리의 문제임을 알고 이를 해결하고자 협력하는 자세를 지닌 사람입니다. 지구촌 사람들이 함께 노력할 때 모두가 행복한 지구촌을 만들 수 있습니다.

(2) 우리는 지구촌의 지속가능한 미래를 위해 생활 속에서 작은 것부터 실천할 수 있습니다.

(3) 세계화가 이루어지면서 많은 나라가 서로 긴밀하게 영향을 주고받습니다. 따라서 세계 곳곳에서 일어나는 문제는 인류 공동의 문제가 될 수 있습니다. 우리가 세계시민으로서 지구촌 문제에 관심을 기울이면 더 나은 세상을 만들 수 있습니다.

채점 기준

(1)	'ⓒ'이라고 정확히 씀.	2점
(2)	**정답 키워드** 일회용 ǀ 장바구니 '일회용 비닐봉지 말고 장바구니에 넣어 주세요.' 등의 내용을 정확히 씀.	4점
	(1)번 답의 잘못된 부분을 바르게 썼으나 구체적이지 않음.	2점
(3)	**정답 키워드** 책임감 ǀ 실천 '책임감을 갖고 지구촌 문제를 해결하고자 노력해야 한다.', '지구촌의 지속가능한 미래를 위해 생활 속에서 작은 것부터 실천해야 한다.' 등의 내용을 정확히 씀.	6점
	세계시민이 되기 위해 할 수 있는 행동을 썼으나 구체적이지 않음.	3점

온라인 학습 단원평가의 정답과 함께 문항 분석도 확인하세요.

문항 번호	정답	평가 내용	난이도
1	④	독도에 대해 알기	보통
2	⑤	독도의 자연환경 알기	보통
3	③	독도에 대한 옛 기록 알기	어려움
4	④	독도를 지키려고 했던 인물 알기	보통
5	②	통일을 위한 정치적 노력 알기	쉬움
6	④	바람직한 남북통일의 방향 알기	보통
7	④	통일 이후 달라질 우리나라의 모습 알기	보통
8	④	지구촌 갈등에 대해 알기	어려움
9	②	에티오피아 내전 알기	쉬움
10	③	국제기구의 의미 알기	쉬움
11	③	국제 연합(UN)에 대해 알기	보통
12	①	해비타트에서 하는 일 알기	보통
13	①	이태석에 대해 알기	보통
14	⑤	말랄라 유사프자이가 한 일 알기	어려움
15	④	환경문제의 원인 알기	보통
16	④	지구촌 환경문제의 종류 알기	쉬움
17	③	환경문제의 해결 노력 알기	어려움
18	②	기아의 의미 알기	쉬움
19	④	빈곤과 기아 문제의 원인 알기	쉬움
20	③	세계시민으로서 할 수 있는 일 알기	보통

1 독도는 우리나라 영토의 동쪽 끝에 있습니다.

2 메탄 하이드레이트는 미래 에너지원으로 주목받는 에너지입니다.

3 우리나라와 일본 등의 옛 기록과 지도에는 독도가 우리나라 영토라는 사실이 나타나 있습니다.

4 안용복은 울릉도 인근에서 고기잡이를 하던 중 일본 어민을 발견하고, 이를 꾸짖다가 일본으로 잡혀갔으나 울릉도와 독도가 우리나라의 영토임을 일본으로부터 확인받고 돌아왔습니다.

5 남과 북은 통일을 위한 다양한 노력을 해 왔습니다.

6 바람직한 남북통일을 위해서는 통일 이전부터 교류를 확대하고 서로 협력해야 합니다.

7 통일이 되면 전쟁 가능성이 사라지고 전체 인구가 늘어날 것입니다.

8 지구촌에는 여러 갈등이 끊이지 않고 나타나고 있습니다.

9 에티오피아에서는 1974년 내전이 발생하여 끊임없는 갈등이 이어졌습니다.

10 지구촌 갈등 해결을 위한 대표적인 국제기구로는 국제 연합(UN)이 있습니다.

11 국제 연합(UN)은 제 1, 2차 세계 대전 이후에 평화로운 방법으로 갈등을 해결하기 위해 만들어졌습니다.

12 비정부 기구는 정부나 국가와 상관없이 자발적으로 모여서 활동을 합니다.

13 이태석은 국적과 종교를 넘은 희생과 봉사로 지구촌 평화를 위해 노력했습니다.

14 말랄라 유사프자이는 2014년 열일곱의 나이에 최연소로 노벨 평화상을 수상했습니다.

15 비닐은 재활용이 불가능하고 오랫동안 썩지 않습니다.

16 제시된 사진은 지역 개발을 위해서 열대 우림을 파괴하는 모습입니다.

17 세계 자연 기금은 기후 변화 문제의 심각성을 널리 알리고 이에 적극적으로 대응하고자 '지구촌 전등 끄기' 캠페인 활동을 매년 개최하고 있습니다.

18 빈곤은 가난해 생활하는 것이 어려운 상태이고, 기아는 먹을 것이 없어 굶주리는 것을 말합니다.

19 주로 자연재해와 전쟁으로 인해 기아 문제가 발생합니다.

20 지구촌 문제에 관심을 갖고 해결하고자 노력해야 합니다.

온라인 학습 단원평가의 **정답**과 함께 **문항 분석**도 확인하세요.

단원평가 2회 52~55쪽

문항 번호	정답	평가 내용	난이도
1	③	독도에 대해 알기	보통
2	②	독도를 지키기 위한 정부의 노력 알기	어려움
3	③	반크에 대해 알기	보통
4	①	남북통일을 위한 노력 알기	어려움
5	①	개성 공업 지구에 대해 알기	보통
6	①	남북통일을 위한 정치적 노력 알기	보통
7	②	남북한이 통일했을 때의 좋은 점 알기	보통
8	③	시리아 내전 알기	쉬움
9	①	지구촌 갈등이 지속되는 까닭 알기	어려움
10	③	지구촌 갈등 해결을 위한 국가의 노력 알기	쉬움
11	③	국제 연합(UN)의 다양한 기구 알기	보통
12	⑤	국경 없는 의사회의 활동 알기	보통
13	②	그린피스의 활동 알기	보통
14	②	이태석이 한 일 알기	보통
15	③	지구촌의 환경문제 알기	쉬움
16	④	환경문제 해결을 위한 노력 알기	쉬움
17	②	파리 기후 협정 알기	어려움
18	⑤	친환경적 소비 사례 알기	보통
19	④	세계시민의 의미 알기	쉬움
20	⑤	지속가능한 미래를 위해 할 수 있는 일 알기	쉬움

1 독도는 두 개의 큰 섬과 그 주위에 89개의 크고 작은 바위섬들로 이루어져 있습니다.

2 현재 독도에는 독도 경비대원, 등대 관리원, 울릉군청 사무소 직원 등 약 50여 명이 살고 있습니다.

3 반크는 인터넷에서 우리나라와 관련된 잘못된 사실을 바로잡는 일을 하는 단체입니다.

4 경부 고속 국도는 서울과 부산을 잇는 우리나라에서 가장 긴 고속 국도입니다.

5 개성 공업 지구는 2005년에 가동을 시작하였고, 2016년까지 활발하게 운영되었습니다.

6 1991년 남한과 북한은 남북 기본 합의서를 채택했습니다.

7 남북통일이 되면 나라의 예산 중에 국방비로 들이는 돈을 줄여 삶의 질을 높이는 곳에 사용할 수 있어서 사람들의 삶이 보다 좋아질 것입니다.

8 계속되는 내전으로 인해 시리아 난민이 늘어나고 있습니다.

9 국가들이 지켜야 하는 강력한 법이 없고 다양한 사람들이 자기 이익을 먼저 생각해서 지구촌 갈등이 사라지지 않고 지속되고 있습니다.

10 우리나라를 포함한 여러 국가들은 다양한 국제기구 활동에 참여하고 평화 외교를 위한 활동을 합니다.

11 자유무역협정(FTA)은 두 나라가 무역의 장벽을 없애기 위해 노력하는 것으로, 전문 기구의 이름이 아닙니다.

12 국경 없는 의사회는 전쟁, 재해, 전염병 등으로 고통받는 사람들에게 의료 서비스를 제공합니다.

13 그린피스는 전 세계적인 환경 파괴의 경각심을 알리고 환경 보호를 위해서 주로 활동합니다.

14 지구촌 갈등 해결을 위해서는 개인의 노력도 중요합니다.

15 공장이나 자동차에서 배출되는 오염 물질 때문에 공기 중 초미세 먼지의 농도가 증가했습니다.

16 지구촌의 환경문제는 지구촌 전체의 문제입니다.

17 2015년 12월 12일, 프랑스 파리에서 '파리 기후 협정'이 체결되었습니다.

18 쓰레기가 나오지 않는 제로 웨이스트 숍을 이용하면 플라스틱 쓰레기를 줄일 수 있습니다.

19 세계시민은 전 세계의 평화와 발전을 생각하며 지구촌의 일원으로서 책임감을 가진 사람입니다.

20 우리는 지구촌의 지속가능한 미래를 위해 생활 속에서 작은 것부터 실천할 수 있습니다.

영어 알파벳 중에서 가장 위대한 세 철자는
N, O, W
곧 지금(NOW)이다.

The three greatest English alphabets are N, O, W,
which means now.

월터 스콧

언젠가는 해야지, 언젠가는 달라질 거야!
'언젠가는'이라는 말에 자신의 미래를 맡기지 마세요.
해야 할 일, 하고 싶은 일은 지금 당장 실행에 옮기세요.
가장 중요한 건 과거도 미래도 아닌 바로 지금이니까요.

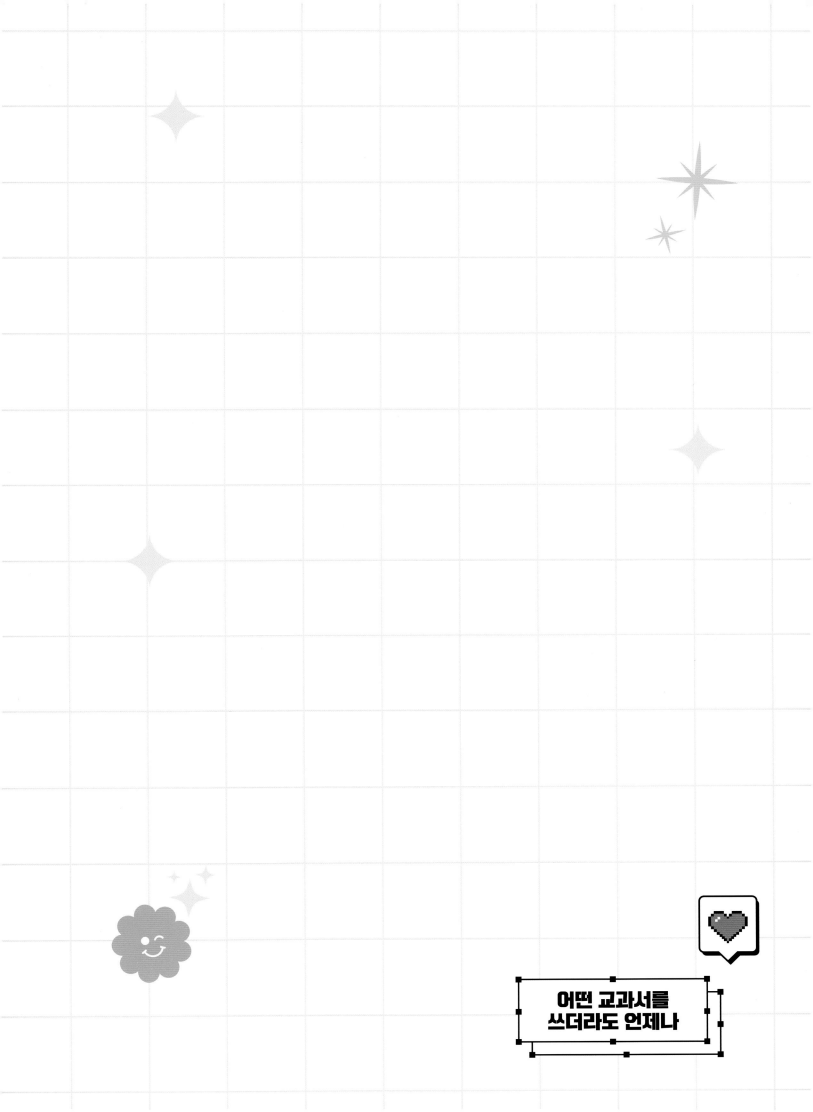

어떤 교과서를
쓰더라도 언제나

우리 아이만
알고 싶은
상위권의
시작

최고를
경험해 본 아이의 성취감은
학년이 오를수록
빛을 발합니다

완 성

최고수준

초등수학

5-2

* 1~6학년 / 학기 별 출시
동영상 강의 제공